法をめぐる闘争と法の生成

和田小次郎著

有　斐　閣

はしがき

「法はすべて實定法であり、實定法よりほかに自然法あるいは理性法はない」と、いわれているが、わたくしはこの主張に同意する。しかし、實定法とは、直ちに、成文法規のことではなく、現實の法のことであり、法の實定性とは法の現實性のことである、と考えている。したがって、法規は作られるものであるが、法そのものは作られるものではなく、むしろ、歴史的に生成するものである、と考えている。したがってまた、立法および法規は法の歴史的生成過程における一モメントであり、一現象形態ではあるが、法の現實性を餘すところなく示しているものではない、と考えている。

他面において、法の實定性を法の現實性と同義に解するから、それは法の歴史性ということにもなる。そして歴史的現實が過去・現在的諸條件の、いわば、沈澱であり、凝集であると同時に、單にそれだけではなく、そのような過去・現在的諸條件の制約のもとにおける將來への生成可能性を内包しており、しかも、單に一つの生成可能性ではなく、多くのそれを内包し、その多くの生成可能性のうちから、いずれが選ばれ實現されていくかは、過去・現在的諸條件によって制約される社會的力關係によって決裁されることであるが、しかし、そのときそのときの社會的力關係による決裁を通じ、しかも、それを越えて、歴史の法則に制約されることである、と考えている。

そして、現實の法、したがって、法もまた、歴史的現實の一面または一モメントとして、歴史的現實のなかで、それとともに、生成するのであり、その生成の過程は歴史の場において、不斷に「法をめぐる闘爭」によって媒介されている、と考える。

本書は、わたくしがこれまで種々な機會に發表した論文を、若干手を加えた上で、本書各章にまとめたものであり、したがって、各章の間に、充分な連續的關連を缺いているが、しかし、いずれの章も前記のような考えにもとづいて書かれたものであり、しかも、本書第六章の「法をめぐる闘爭と法の生成」を結論として志向していた、ということができる。本書各章は各々獨立して種々な機會に執筆され發表されたものではあるが、これを本書にまとめたこと、しかも、第六章の題目をとって本書の題名にしたことは、以上のような理由からである。讀者諸賢の御了承をお願いしたい。

國際的にも、國内的にも、「法をめぐる闘爭」の現象事例が、最近とくに多いと思われる。これらの現象事例をとりあげて實證的に調査・研究することが大いに必要であり、それによって本書の志向する問題點を具體的に一層明瞭にすることができると考えているが、それはわたくし一個人の能力に餘る課題であることをも痛感している。

本書出版の機會をあたえてくれた有斐閣およびその編集長新川正美氏、ならびに、丹念に校正してくれた由井備氏に對して、ここに厚く謝意を表する。

昭和二八年九月一六日

和田小次郎

目次

第一章 法と法規

一 はしがき

一 近代諸國において、法は最も普通には成文法規によって表徴されている。いいかえれば、近代諸國において、成文法規は法の最も通常の、且つ、最も重要なシンボルであり、現象形態である。されば、今日、法といえばただちに成文法規を連想するのが、一般のひとびとの通常の考え方ともなっている。しかし、法は成文法規を重要な現象形態としながら、それにつきるものではなく、成文法規に表徴されながら、それみずからは現實の社會意識の領域において、現實的規範として不斷に生成するものである、といわなければならない。

社會意識の領域において生成する法を認識してこれに具體的表現をあたえるのが、立法の仕事である。したがって、立法といえども、全くの無から有を生ぜしめるように、法を創造するのではなく、むしろ、法を認識して成文化する仕事として、それみずから法の認識を前提することである。著作者はその抱懷する思想に表現をあたえることによって、著作するのであり、したがって、著作は著作者の思想の表現であり、現象形態である。ただ、單純な著作の場合には、そこに表現されるものは著作の當時における著作者個人の思想であり、著作の文面の背後において、その表徴する思想が獨自に生成するということはない。著作の文章とともに、そこに表徴される著作者の思想も、すでに完了し確定し固定化しているのであり、その文章はそのようなものとして解釋されるわけである。しかし、その個人的著作ですらも、すでに古典とされるものにおいてしばしば見られるように、そこに表徴される思想が、時代の變遷とともに、解釋を通じて異って理解され、著作當時における著作者が實際に抱懷していた思想を超えて、それ以上またはそれ以外の意味をもって、理解されていくこともあるわけである。のみならず、「哲學は時代の子である」といわれるように、著作者個人の思想といっても、著作者みずからが生活した時代の精神または歴史的環境をはなれて純獨創的な思想はありえないのであって、このゆえにこそ、著作の解釋を通じて、著作者個人の思想とともに、その時代の思想をも理解することができ、そのようにして一般に思想史の展開も可能となるのである。すなわち、個人的著作ですらも、その表徴する思想そのものにおいては、著作者個人を超えて、公共的意義をもつのである。

このような關係は、法と成文法規の場合において、いうまでもなく明かであるであろう。法は單なる思想ではなく、社會的規範であるからであり、しかも、單なる一個人によって抱懐される思想ではなく、多かれ少かれ、社會に共生するひとびとによって通有され共有される社會意識であるからである。社會意識がつねに現實的であるように、法もつねに現實的であり、社會意識に必ずしもつねに統一がないように、法にも必ずしもつねに統一があるわけではなく、社會意識そのものに多かれ少かれ對立・相剋・摩擦があるように、法の內部にも對立・相剋・摩擦があり、理論的および思想的鬪爭もあるのである。法はこれらの對立・相剋・摩擦を通じて生成していくが、法規は法のこのような生成過程の一段階における現象形態であり、文章をもって固定化するが、法規の固定化にもかかわらず、法は固定化せずにつねに現實的な規範として生成するといわなければならない。固定化し確定化した成文法規の背後において、法そのものの領域には對立・相剋があり、摩擦・鬪爭があり、それを通じて生成・發展があり、やがて、法規そのものの改廢を促すのである。もちろん、法規の固定化にもかかわらず法がつねに現實的に生成するとはいいながら、法の生成が法規によって何らの影響をもうけないのではない。法規は法の認識を前提し、これを成文化することによって成立するが、その前提する法の認識において、すでに對立・相剋があり、それを通じて成立した法規は、そのゆえに、何ほどかの程度において、對立・相剋の關係にある一方の思想または規範意識の貫徹・實現として、それを表徵し、それに有利であるであろう。しかし、法における對立・相剋の關係は、成文法規の制定をもって、外見上は終了したかにみえるとしても、內面においては決して終了することはない。それは解釋や運用の形態においても、なお繼續することである。法規の制定は、法における對立・相剋に對して單に一つのブレーキであり抑制ではあるが、これを全く抑止し排除することは不可能であるであろう。法は法規によって制約されながらも、法規とともに固定化するものではない、といわなければならない。

二　立法の仕事が法規の制定ではあるが法の創造ではないとすれば、立法も司法も法の認識を前提することにおいて、兩者の間に本質的な差異はないということができる。法認識としては、その具體性の程度の相異にすぎない、というべきであるであろう。裁判に比較して、立法における法の認識は抽象的であるとともに、立法に際して據らなければならないものとして何らの典據もあたえられていない。裁判においては、具體的に個別的な現實の事案に對して妥當な解決をあたえる法を見いださなければならないのであり、その法認識は個性的に具體的である。これに對して、立法における法認識は、將來起りうる一定類型の事案に對して解決をあたえる規範を見いだすのであって、その限りにおいて抽象的であるが、また、その限りにおいて類型的に具體的である、ともいうことができる。けだし、法規は抽象的とはいいながら、何ほどかの具體性をもてる內容において法を認識し、これを表現するものであるからである。法は、その實現の過程において、立法や司法の段階を經て具體化していくのであり、立法と司法とは、法の具體化の過程における二つの段階である、というべきであるであろう。

まず、立法における法認識について考える。立法者をして一定の立法にまで促すものは何であろうか。立法者も一定の歷史的社會のなかに生活しながら、その生活體驗を通じて、社會の現實の狀態について、多かれ少かれ一定の認識をもつ。專斷國王の場合には、それは側近者の報告や助言を通じてえられるであろうし、近代的議會制度のもとにおいては、諸種の報道機關の發達や調査機關の組織と相まって、立法者そのものが組織的合議體として多數の議員によって組織され、その各々の議員が選擧を媒介として、社會における多數のひとびとと不斷に接觸交渉をもたなければならないのであって、その認識は多くの道を通じてえられる集合的、あるいは、合成的認識である、ということができるであろう。議會制度のもとにおいても、實際に最も強力に立法をうごかすものは、政府であるであろうが、その政府に參與するひとびとは、とくにその地位と責任とのゆえに、現實の國民生活の狀態について不斷の關心を促されるのであり、國民生活の全般的狀態の認識に關する限りは、最もよくこれを知る地位にあり、責任をもつものと見られるであろう。このようにして、立法者は社會の現實の狀態について認識をもつが、この認識には社會の動向または傾向の認識もふくまれているとともに、これに對する評價もふくまれているであろう。社會の現實の狀態にもとづいて、あるいはこれを好ましき狀態として滿足し、したがって、これをそのまま維持すべき狀態、更に一層强化すべき狀態と考え、あるいは、これを好ましからざる狀態として不滿をいだき、あるいは、これを憂うべき狀態として嫌惡し危惧し、したがって、これを是正し改革すべきものと考えるであろう。好ましき狀態は維持されるべく、それを亂す行動は排除され抑制されるべきものと考えられ、好ましからざる狀態は排除されるべく、これを促進する行動は抑制されるべきものと考えられるであろう。社會の現實的狀態およびそこにふくまれる將來への傾向に對する認識は、立法者の心情のうちに、このような規範意識を醸成することになる。それが法認識の第一歩である。それは廣く國民の多數者に共通の規範意識であることもあろう。しかるとき、それは世論であり、立法は既存の世論にしたがって行われることになる。あるいはまた、法の認識が先見の明ある少數者の認識にとどまり、一般世人の理解にゆきわたっていないこともあるであろう。そのような場合に、その認識にもとづいてこれを立法にまで具體化するには、多くの場合において、異った認識にもとづく反對意見との對立・相剋を經なければならない。これを貫徹して立法にまで具體化した場合には、それは、いわば、世論に先じた立法であり、世論を促し導く役割をもつことにもなるが、ときとしては、それにもかかわらず世論がこれに追從しないで、結局において、社會的現實の地盤に根づくにいたらないで終ることもあるであろう。しかるとき、それは失敗した立法として、强いてこれを行おうとすれば、いきおい過大な權力的强制・威壓を發動せしめなければならないことにもなる。立法における法の認識というのは、このような社會心理的事情にほかならず、何をどのように權力的に規律すべきか、についての多かれ少かれ具體的な規範意識の形成にほかならない。

しかるとき、そこに成立する法認識がはなはだあやふやなものであり、賴りないものであるといわれるでもあろうが、社會意識に對立・相剋・摩擦があるように、法認識にも對立・相剋・摩擦があるのであり、立法はそのゆえにこそ必要であろうが、しかも、立法ののちにも法認識における對立・相剋は終了するものではなく、なお繼續するであろうとともに、他面においては、立法そのものが、多かれ少かれ、政治的勢力關係によって制約されるゆえんでもある。法はその本質において社會意識であり、社會意識も現實に意識である限りは、社會におけるひとびとの心裡に抱懷されるよりほかないのであるから、社會意識とはいっても、普遍的に統一的なものではありえないで、對立・相剋をまぬがれないのである。ただ、法は單純な社會意識ではなく、社會の公正な秩序を志向する社會的規範意識であり、この志向のもとに社會のひとびとに「かく爲すべきである」または「かく爲すべきでない」という規範的要求をもって見いだされる社會意識である。國の機構を現實にうごかすひとびと、または、國の權力を現實に管理するひとびともまた、何らかの具體的内容をもって、このような規範的社會意識をいだくのであり、それが立法權の行使によって具體的法規にまで制定され、司法權の行使によって具體的判決にまで適用されるのである。法規の成定・確立ののちにおいても、法は一定の形態において固定化するものではなく、社會意識の領域において不斷に生成するのであり、終極において、つねに公正な秩序の志向に導かれ制約されつつ、不斷に生成する社會的規範意識、または、規範的社會意識であるといわなければならない。

このようにして、法規は立法者の法認識を媒介とし、これにもとづく法の現象形態であり、しかも、立法者の法認識にかかわりなく法は生成する。他方において、法規は國家權力にもとづいて權威的にあたえられ制定された法認識の典據であり、あたえられた法規を典據として、法を具體的に見いだすことが、法解釋の仕事である。

三　法の解釋というのは、法規を典據として、法をその具體的内容において見いだすことにほかならない。法は公正な秩序の實現を使命として社會におけるひとびとの生活行動を規律する規範であるが、そのゆえに、現實の社會生活關係の種々相に應じて、種々な內容をもち、生活事情の變化にしたがって、內容が變化するものと考えられる。法の解釋とは、法規を典據として、このような規範內容を見いだすことである。したがって、解釋を通じて見いだされるべき法は、法規の意味として見いだされながら、しかも、法規を越えなければならない。もちろん、法規そのものが、すでに立法者の愼重な熟慮と研究・調査にもとづく法認識の所產であり、立法者の正しい法認識と、それに對する適切な表現とをもつでもあろう。しかも、制定當時における立法者の正しい法認識が、事情の變化した社會生活關係のもとにおいて、依然として正しい法認識であるとは必ずしもいうことができない。のみならず、立法者の法認識そのものが、その愼重な熟慮と研究にもかかわらず、必ずしもつねに正しい法認識ということはできないのである。されば、しばしば「法の解釋とは、立法者の思想を、追想することである」といわれるが、また「法の解釋とは、立法者の思想を、立法者よりも賢明に、追想することである」ともいわれるのである。なるほど、法の解釋は「立法者の思想を追想すること」であるということができるであろう。その限り、法の解釋は立法者に追從し、立法者の思想、したがって、法規の文言によって制約されなければならない。しかし、このような立法者への追從と法規の文言の制約のもとにおいて、しかもなお、法の解釋者は「立法者よりも賢明に」追想しなければならないのであり、その限りにおいて、解釋は立法者を越えて、立法者より以上に賢明に、追想することが要求される。すなわち、法の解釋は、立法者に制約されながら、立法者を越えなければならないのであり、「立法者の思想を追想する」ことにおいて、實質的には法の創造的認識であるのである。立法者がその制定した法規をもって表現しようとしたものは、彼の抱懐した法認識であるが、その法規を典據として、解釋者は法を見いだすのである。このゆえに、解釋者の法認識は立法者の法認識の再認識であるが、しかも、同時に再認識を越える意味をももつのである。けだし、解釋者の法認識は、立法者によってあたえられた法規を典據としながらも、必ずしも立法者の法認識と同一のものではなく、「立法者よりも賢明な」認識であることが要求されるからである。法は立法者の法認識や法規の制定にもかかわらず、現實の社會意識の領域において生成するものであるからであり、法規の制定が法の現實的生成を停止せしめるものではないからである。このゆえに、法の解釋が「立法者の思想を追想することである」とされる場合にいわゆる「立法者」をば、ラードブルッフは、實際の經驗的な立法者ではなく、「理想化された立法者」を意味するものとし、これを「法規制定者」と區別したのである。なるほど、「立法者」を「理想化された立法者」と解し、これを「法規制定者」と區別すれば、法の解釋を「立法者の思想を追想すること」であるとしても、それは「法規制定者」の思想を再認識することではなく、むしろ、「法規制定者」よりも賢明な法認識であることを要求されても、何ら不合理ではないことになるであろう。

もちろん、法規の制定が法の生成に影響をあたえることも否定されない。法は一般の社會意識と同様に、必ずしも明確であり判明しているのではなく、多くの場合は、むしろ、不明確であり曖昧であり漠然としている。社會における大多數者にとって、何が法であるかを具體的內容において知ることは、むしろ、困難なことである。このような事情のもとに、立法者がその法認識にもとづいて法規を制定することは、社會におけるひとびとにとって、彼ら自身にその法認識の手がかりをあたえられることであるのみならず、ひとびとの抱懐する社會意識を法規の指し示す方向において形成することにも役立つであろう。このようにして、立法にはしばしば指導的・啓蒙的役割を實際に演ずるものもあるのであり、しかるとき、それは成功した立法として、立法者の達見が讃えられてしかるべきなのである。しかしながら、そのような場合においても、無から有を生ぜしめるように、立法者が法を創造したというべきではなく、法の生成を助勢し、高々、それを指導したのである、というべきであろう。

このように、法規の制定が法の生成を助勢し指導することがあるとともに、他面においては、これを阻止し抑制することもある。制定ののち年を重ねた法規の存在は、法の生成に對して、抑制的役割を演ずることが多いであろう。このような場合に、解釋の任務がはなはだ重要なものになる。解釋者が、制定者によってあたえられた法規を典據としながら、制定者の法認識とは異った法を見いださなければならないからである。いずれにしても、解釋によって法を見いだすのであるが、法は法規制定者の法認識およびその法規への具體化によって、法みずからの生成を終了するものではなく、完了するものではないのであって、法規の背後においてそれみずからの生成を繼續するものと、いわなければならない。

いわんや、立法者の法認識にしても解釋者のそれにしても、法認識はそのことにあたるひとびとの世界觀または立場あるいは基礎的信條によって、同一樣ではありえないであろう。そのことは立法の場合には容易に見られることである。立法は立法者の法認識を法規にまで成文化する作用であるが、一定の法規の成立過程には政治的勢力關係の制約があることは明かである。法規に表現された法認識が唯一のものではなく、多くのなかの一つであったのであり、それが他を排して法規にまで制定されることによって、國家權力の支持のもとに立つことになるのであり、國家的權威をになうものとなるのである。しかし、前にものべたように、法の生成は立法によって終了するのではない。立法によって終了するのは、法認識相互間における政治的相剋であるが、法の生成はそれによって制約されながらも、なお繼續するのであり、法認識の相剋も爾後は解釋または司法においてつづくのである。同一の法規に據りながら、しかも、解釋者の世界觀や立場の相異によって、法認識は異りうるのである。されればこそ、わが改正民法がその第一條の二において「本法ハ個人ノ尊嚴ト兩性ノ本質的平等トヲ旨トシテ解釋スヘシ」と規定して、解釋の指導原理を示すことにも理由があり意義があるのである。法規のなかに解釋の指導原理または指導精神をかかげたものとして著しいのは、革命後のソヴィエト・ロシアにおいて見いだされるであろう。一九一八年一一月二二日公布の「司法組織に關する指令」のなかには「爾今、裁判所は專らソヴィエト法令をのみ適用すべく、もしそれが不完全であるときは、社會主義的良心にしたがって裁判しなければならない」とあり、一九二〇年一〇月二一日公布の「人民裁判所に關する指令」にも同樣の規定がかかげられ、一九二二年一一月一一日公布の民法典施行令の第五條には「ロシア社會主義連邦ソヴィエト共和國民法典の擴張解釋は、勞農國家および勞働團體の利益の保護がこれを要求するときにのみ、これを爲すことができる」とし、その第六條には「崩壞した舊政府の法令および革命前の裁判所の判例を基礎として法典の規定を解釋することを禁ずる」と規定したのである。同一の法規であっても、解釋者の世界觀または立場の相異によって、異った法認識が生ずるのである以上は、このような解釋の指導精神に關する規定をかかげておくことは、革命時においては、ことに重要な意義をもつことであるであろう。

法は立法を越えて生成するのであり、法の解釋は法規に據りながら、しかも、法規を越えて法を認識しなければならないのである。

四 ところで、法規に據りながら法規を越えるということは、どのようにして可能であろうか。それはすでに實際にしばしば行われていることであって、それがどのようにして可能であるかを問うことは、これから工夫して始めることの可能性を問うことではなく、むしろ、それがすでにしばしば行われているどのような事態を指しているのであるかを明かにするとともに、それがどのような事理にもとづいて可能なのであるかを明かにすることである。

元來、言葉には言葉そのものに直接に固着している意味と、言葉そのものに固着しているのではなく他の諸種の要素の附加することによってその言葉になわれることになる意味とがある。言葉そのものに固着している意味といっても、言葉はすべて慣習または傳統に屬することであり、慣習や傳統の推移と同樣に、言葉に固着している意味にも推移があることは當然であるが、それにもかかわらず、特定の時代の特定の社會において一定の言葉には一定の意味がになわれているわけである。これを言葉のもつ感覺的意味と呼ぶことができるであろう。言葉の感覺的意味は、通常の常識をもつひとであれば、その言葉の發音を耳に聞くとともに、また、その言葉の文字を眼に見るとともに、直覺的に理解し、うけとることのできる意味である。しかるに、同じ言葉が他の要素と結合することによって、しばしば感覺的意味以外の意味をもつのである。言葉に結合する要素というのは、例えば、語るひとの表情や態度、音聲の高低や調子、語る時と所と環境、文章の場合にはことにその綾と呼ばれるもの、すなわち、言葉の綴り合せの關係など、そのほかにも種々あるであろう。日常の會話のなかに、皮肉や冗談や譬喩やユーモアやウィットと呼ばれることが可能であるのは、言葉がそれに固有の感覺的意味以外の意味をもつことができるからであろう。このゆえに、言葉をその感覺的意味以外にうけとることに敏感でないひとに對しては、皮肉が必ずしも皮肉として通用せず、冗談が必ずしも冗談として通用しないこともあるのであり、折角のユーモアやウィットが少しもアンテナに感受されないこともあるわけである。このような感覺的意味以外の意味を、知性的意味と呼ぶことができると思う。言葉の知性的意味というのは、言葉と言葉の綴り合せの關係において、そこにかかげられる言葉の固有の感覺的意味を越えて讀むひとと聞くひとの思惟の働らきの協力によって把捉されうる意味である。學術書にしばしば見いだされることであるが、古來の格言とか俚諺などにも多く見いだされることである。例えば「犬も歩けば棒にあたる」とか「論より證據」とか「花より團子」というような、「いろは歌留多」の諸文句にしても、「李下に冠を正さず」とか「梅花語らざれど、下自ら徑をなす」というような文章は、言葉そのものの單なる感覺的意味によってではなく、その知性的意味によってはじめて、その眞意を理解することができるのである。

法規も文章であるが、法規に據りながら法規を越えるというのは、法規のもつ各々の言葉の感覺的意味を越えて、その知性的意味を把捉することである。言葉の感覺的意味を越えてその知性的意味を把捉するということは、法規については、ことに必要なことであるであろう。けだし、法規は法の現象形態であるが、法は公正な秩序を指導理念として、社會におけるひとびとの行動を規律する規範であり、法規はこのような法を表現しているはずのものと見られなければならないからであり、法規を通じてこのような法を具體的內容において見いだすことが、法の解釋の使命であるからである。法規のなかにあたえられている概念のあるものは、これを擴張して解釋し、あるものはこれを縮少して解釋することが、通常に行われており、また、規定を缺如する場合に、あるいは反對解釋により、あるいは類推解釋が行われる。しかし、法規のなかにあたえられている一定の概念を擴張して解釋すべきか、あるいは、縮少して解釋すべきかは、そこにあたえられている概念だけからは斷定されることができず、特定の規定にもとづいて反對解釋によるべきか、類推解釋によるべきかも、その特定の規定そのものからは、これを斷定することができないのであり、これを斷定すべき根據はそこからは見いだされないであろう。その斷定と斷定の根據とは、あたえられた概念および規定そのものを越えて求められなければならない。また、あたえられた一定の規定の文言について類推解釋によって一定の斷定をなすべきか、あるいは、反對解釋によって他の異った斷定をなすべきかは、あたえられた規定の文言だけからは決せられず、また、一定の斷定の直接の根據たるべき文言がそこにあたえられていないということだけからも決定されないであろう。そのような斷定と斷定の根據をあたえるものは、そこにあたえられている概念または文言ではなく、もっと正確にいえば、そこにあたえられている概念または文言の感覚的意味ではなく、他の規定との體系的關連およびこの關連において見いだされる規定の趣旨、または、規定の精神でなければならない。いいかえれば、あたえられた概念または文言の、他の規定との體系的關連および規定の精神から把捉されるところの、知性的意味でなければならない。法規に據りながら法規を越えるというのは、法規の感覚的意味にとどまらずに、その知性的意味を把捉することにほかならない。そして、法規の知性的意味は、法規全體の關連や、その適用されるべき現實の生活關係との關連、ことに、法規の精神との關連において、はじめて把捉されることができるのである。

法典の各條章の規定はそれぞれに獨立の文章をなしており、それぞれに何らかの感覚的意味をもっている。いずれの規定といえども、その感覚的意味に關する限りは、これを理解するにははなはだしく困難をともなうものではないであろう。しかしながら、各法典、また、各條章の規定はそれぞれに獨立の文章をなしながら、しかも、意味の上で相互に相關連しながら、全體的體系をなしているのであり、各條章、各規定がそれぞれに一定の目的・趣旨のもとに規定されながら、全體的法典の目的、立法精神に制約され、さらに、それを越えて、終極的には、法そのものの目的・精神によって制約されている、といわなければならない。このゆえに、各々の規定はそれぞれに獨立の文章でありながら、相互に矛盾・背反があるべきでなく、意味の上において全體的統一をなしていなければならない。それは各々の規定の文言の知性的意味においてのみ可能なことであり、體系とはこのような知性的意味の統一的關連にほかならないであろう。法規のこのような知性的意味が、解釋を通じて求められる法であり、これを把捉することが、解釋による法認識である。

五 さて前述のように、法と法規を區別し、法規を法の現象形態と見ることについて、示唆をあたえているのは、ビンヂンク、エム・エー・マイヤー、デュギーの所說である。周知のように、ビンヂンクは刑法について規範と刑法規を、マイヤーは文化規範と法規範を、デュギーは規範的法と技術的法を、それぞれ區別した。文化規範と區別されたマイヤーの法規範は法規と同一のものであったようであるが、法規範と法規の同一性を強く主張したのは、ビンデルである。それら諸家の說は、それぞれに敎示に富むものであり、檢討するに値いすると思われるので、以下順次にこれを檢討することにしよう。

二 ビンヂンクにおける規範と法規

一 刑法について規範(Norm)と法規(Gesetz)を分別するビンヂンクの所說を要約すれば、おおむねつぎのようである。(一)

古くからひとびとは犯罪の本質を、平和、法または法規を犯し破ることにあると考えてきた。「犯人」(Verbrecher)、という呼び方はそのような考え方に由來する。「犯人は法規を犯す」とか、「彼は法規に違反する」といわれ、また、「彼は法規に適應しない」とか「彼は法規を無視する」とかいわれているが、これは昔から今日にいたるまで各國民において共通に見られることである。しかし、どンヂングによれば、このいい表わし方はその根柢にひそむ正しい思想にもかかわらず、今日では誤った意味のもとに轉釋され、刑法學のみならず、法學の諸部門に、不當な歸結をもたらすことになっている。(一)

その誤りの一つは、犯人がそれによって評價される“Strafrechtssatz”と、犯人が犯す“Rechtssatz”とが、同視されていることである、とビンヂンクは考える。法規にかかげられている命指が大前提をなし、犯人の行爲が小前提をなして、刑の言渡はその兩者の論理的綜合の歸結として生じ、法規にかかげられていることと、犯人の爲した行爲とが、概念上一致するときにのみ、刑が宣告されうるのである。したがって、犯人は、彼の行爲がそれによって評價される刑法規（Strafgesetz）を犯したのではなく、むしろ、法規のはじめの部分にかかげられていること、いわゆる構成要件に適合し、それとの一致において行爲したからこそ、罰せられるのである。犯人が犯す法は、判決の態樣を命ずる法に、概念上先行していなければならない。犯人は「刑法規」を犯すのだという一般の考え方は、この兩者を不當に同視することからきている。しかし、眞實には、犯人の行爲は、「廣義の法規」すなわち Rechtssatz の可罰的違反ではあるが、科刑を命ずる法規、すなわち刑法規の違反ではない。そこでビンヂンクは、犯人が犯す Rechtssatz を「規範」（Norm）と呼ぶ。彼によれば、犯人が犯しうるのは、彼にその行爲の準則を示している規範であって、判決の態樣を指示している刑法規ではない。規範と刑法規とは、明確に區別されなければならない。(三)

二　つぎに、ビンヂンクは刑法規について一般に考えられているような命令性が、眞實には、刑法規に欠如していることを指摘する。純然たる定義的規定を別として、現今の刑法規は一般に構造上二つの部分からなっている。その第一の説明的な部分、すなわち條件命題の部分は、第二の命指的な部分、すなわち效果命題の部分の條件をかかげているが、第二の部分の命指は、第一の部分にかかげられている條件のもとに、刑を科すべきこと、または、科すべからざることを指命し、同時に、刑の種類や量をも定めている。(四)

刑法規が一般に考えられているように命令であるとすれば、その命令が何人に指しむけられているか、その宛名人が問題となる。命令をさしむけられた者のみが、その命令を犯すことができる。(五)

刑法規が命令であるとした場合に、その命令の宛名人として考えられうるのは、人民と、官吏とに裁判官と、國家の三つである。(六)

一八四七年のプロシア刑法草案は、その第一條に「プロシア刑法規は犯罪がプロシア人民によって行われたると外國人によって行われたるとを問わず、國内において行われたすべての犯罪に對して、これを適用する」と規定していたが、一八四八年の連合委員會で草案説明者が「草案の言葉は、法規は本來人民のために書かれたものであるが、直接に人民にむけられたものでなく、それを適用すべき職責をもつ官吏にむけられたものである」といったのに端を發して議論が生じた。Graf v. Schwerin は「法は單に人民のための指示とのみはいえず、また、裁判官のためのみに定めたものともいえないであろう。兩者が同一の法規を用いる。人民は彼の行爲の適法性の根據として、裁判官は彼の手續のための指示として、これを尊重しなければならない」と論じたのに對して、司法大臣であった Savigny は草案を辯護しながら「犯罪を犯す結果として何が期待されなければならないかについて、裁判官に對しては準則（Vorschriften）をあたえ、人民に對しては説明（Erklärung）をあたえることが、草案の意圖であった」と説明したのであった。(七)

これに對してビンヂンクは、刑法規が人民にむけられるものという見解も、人民および裁判官にむけられるものという見解も、同じ根柢の上に立っている、と考える。それは、刑法規は人民に何が禁ぜられ何が禁ぜられないかを示すのみならず、犯罪を爲したときに彼らがどのような刑を期待しなければならないかをも、同時に示さなければならない――畏迫するためであると、警告するためであると、教育するためであると、を問わず――という考え方である。「法規なければ刑罰なし」（nulla poena sine lege.）の原則は、このような見解の必然的歸結である。(八)

ところでビンヂンクによれば、刑法規にふくまれる命令が一定の行爲を條件として有責者に刑を科すべしと命じ、あるいは、科すべからずと命ずるとすれば、兩場合において命ぜられる者は明かに同一であるであろう。刑を科すること、または、科しないことが眼目であり、その際に、刑を科する者と、刑を科せられる者または科せられない者、の二つの主體だけが認められるから、命令は、刑を科する者に妥當するか、刑を科せられる者または科せられない者に妥當するか、あるいは、兩者に妥當するか、問題はこの三つに歸着する。(九)

第一に、刑法規の宛名人は犯人ではない、とビンヂンクは考える。犯人が法規によって拘束されるとすれば、命令は犯人に對して刑に服すべき法義務を課するものでなければならない。しからば、有責者にして刑を免れる者は、二重に犯罪を重ねることになる。第一次の犯罪のゆえに彼は刑に服すべきであった。刑に服しなかったことが、第二次の犯罪である。しからば、第一次の刑のほかに、彼はその服刑義務の違反についても刑を科せられるべきであるであろう。彼が第二次の刑にも服しないとすれば、それについてさらに第三次の犯罪が成立するわけであり、このようにして、逃亡犯人は無限の犯罪を重ねることになる。したがって、刑法規にふくまれる命令が、刑を科せられる者または科せられない者、すなわち、人民にむけられるものであると見ることは、明かに無意味である。〔一〇〕

第二に、命令の妥當するのは裁判官または刑の執行吏でもない。彼によれば、命令が裁判官や刑の執行吏を拘束するとすれば、たとえ一時的にもせよ、たまたま裁判官または執行吏が存在しないときには、刑法規は事實上無拘束となるであろう。しかるに、裁判官または執行吏が存在しないときにも、犯罪は罰せられるべく、しかも、命指された方法において罰せられるべきであるという國家の意思は、法規のなかにふくまれながら、不變の效力を持續する。なお、罰することは裁判官の仕事ではない。裁判官は原告と被告の上に公平に位置して、刑罰權の存否を決定するのである。何人も、原告であるとともに、裁判官でありえない。裁判官が原告に刑罰權の存在を宣告するとすれば、裁判官みずからそれを有せず、したがって、みずからそれを行使することができないはずである。罰することと、刑罰權の存在を宣告することとは、別の二つのことである。民事裁判官も刑事裁判官も、この點では同じである。裁判官が判決を法規にもとづいてしなかったとすれば、彼はその無視した法規を犯したのではなく、その判決を法規にもとづいてなすべき彼の義務を犯したのである。そして、彼のこの義務は彼にとって、彼の無視した刑法規その他の法規から直接に生ずるのではなく、彼の任命行爲から生ずることである。裁判官は裁判官として現行の法規によって拘束されるのではなく、彼はその任命および職務義務によって、裁判の際にこの法規にまで拘束されるのである。刑の執行吏についても、同様にいうことができる。彼に對する命令は、犯人を一定の刑に處すべしというのではなく、判決に示されている刑を執行すべしというのである。それは刑法規からの命令ではなく、彼の職務義務にもとづくことにほかならない。(一二) ビンヂンクはこのような論理をもって、刑法規が裁判官に對する命令でもないことを主張したが、この點に關する限り、彼の論理には承服しえないものがある。

第三に、ビンヂンクにとって、刑法規にふくまれる命令は、刑罰義務者、したがってまた、刑罰權利者である國家または君主にむけられたものである、という見解がのこる。裁判官や執行吏は、自己の權力をではなく、他人の權力を行使するのであり、したがって、自己の權利・義務をではなく、委託者の權利・義務を行使するのであるから、この見解は第一および第二の見解よりも優れている、と彼はいう。この見地に立つとき、刑罰權者は國家または君主よりほかの何ものでもない。したがって、ビンヂンクにとって、刑法規のなかで、國家または君主は、自己みずからよりほかの何人にも命令していないのであり、刑法規の違反者たりうるのは、國家または君主のみである、ということになる。しかし、とビンヂンクは考える、國家または君主に對して、どうして法義務を課することができるか。君主國において形法規は、明かに、君主に對して有責者を罰すべきことを命じていない。そこでビンヂンクにとって、この見解は、刑法規を命令と見るための最後の據點であるが、これも失敗といわなければならない（一二）。

三　ビンヂンクにとって、そもそも刑法規が命令をふくむと見ることが誤りであるが、この誤りは法規の第二の部分の「當爲」（Sollen）にもとづいている。「罰せらるべし」（es soll Strafe sein）という表現形式は、歴史的には古代からのものであり、刑罰權者が國家であると私人であるとに關係なく、また、刑罰權の訴訟外の行使が可能であるか可能でないかにも關係がない。歴史的に見て、刑法規にふくまれているかの「當爲」は、法意思の儀式的な表示形式にほかならず、それにもとづいて刑法規の命令性を説くことは不當である。

ビンヂンクによれば、あらゆる時代のあらゆる刑法規は、いわゆる授權規定（berechtigender Rechtssatz）――むしろ、肯定規定（bejahender Rechtssatz）と呼ぶ方があたっているとビンヂンクはいう――に屬する。それは、刑罰權を創定し、その内容を決定するが、つねに、一方において刑罰權を有する者と、他方において刑罰權を行使される者との、二つの部類のひとのために役立つ。前者は法規の基準にしたがって權利づけられ、後者は同じ程度において權利者に拘束される。法規は前者には第一次的に、後者には法效果的に、したがって、第二次的に、妥當する。一般に法規の命令が立法者と命令の妥當する者との間に法關係を創定するのに反して、刑法規においては、國家と刑罰權者との間の法關係ではなく、刑罰權者と犯人との間の法關係を規律することが主眼である。それは、この法關係を直接に設定するものではなく、それの内容ならびにそれの發生條件を定めるものである。このようにして、肯定的刑法規（das bejahende Strafgesetz）は、刑罰權の發生、その内容、およびその終了、いいかえれば、刑罰権者と犯人との間の刑法關係の發生、内容および終了を規律する法規定である。この見方のみが、あらゆる時代の刑法規にあてはまるが、ここから刑法規が刑罰權者のための規範ではなく、また、犯人がその行爲によって犯すところの規範でもないことが、明かになる。

ところで、今日、私刑、したがって、私的刑罰權は認められず、刑罰權はもっぱら國家にのみ屬し、同時に、刑罰義務でもある。したがって、今日の刑法規は國家と犯人との間の關係を定めるものであること、しかも、第一次的には刑罰權の獨占者たる國家に、第二次的、法效果的に、この刑罰權を行使される犯人に妥當するものであって、決して、裁判官および執行吏に妥當するものでないことが、明かとなる。すなわち、刑法規は國家の刑罰義務の發生、その内容およびその終了を定める法規定にほかならない、とビンヂンクは主張する。（一三）

四　犯人は刑法規を犯し、または、それに違反するのではなく、刑法規の背後に隱されている規範を犯すのである。この規範を見いだすのに、ビンヂンクによれば、三つの可能性または方法がある。（一四）

その第一の方法は刑法規から間接に規範を見いだすことである。刑法規は、犯罪が行われた場合に刑を科すべき國家の義務を創定する。刑法規の規定はそのはじめの部分において、刑を科せられるべき行爲、または、刑を科せられるべきでない行爲が何であるかを、提示している。このはじめの部分にもとづいて刑法規の命令性を見るのが、一般のやり方である。一定の行爲が科罰の條件とされるとき、それから、そのような行爲を爲すべからずという命令が形成される、というのである。このように刑法規のはじめの部分を命令に轉形することによって、刑法規の命令性を見る方法のほかに、刑法規における「これこれの刑に處す」という後半の部分から命令を形成する方法と、後半の部分との關連において前半の部分から命令を形成する方法とがある。したがって、そこに命令の三つの型がでてくる。「汝殺すべからず」(Ihr sollt nicht töten!)というのは、前半の部分を命令に轉形したものであり、「汝刑罰において殺すべからず」(Ihr sollt nicht töten bei Strafe!)というのが、後半の部分との關連において前半の部分を命令に轉形した型であり、「汝殺したるとき、刑を受くべし」(Ihr sollt die Strafe auf Euch nehmen, wenn Ihr getötet habt!)というのが、後半の部分から轉形される命令型である。[二五]

最後にかかげた刑法規の後半の部分から轉形される命令は、本質的には、作爲不作爲に關するものではなく、受忍(Dulden)に關するものである。一般にひとびとは、犯罪を禁ぜられているものと考えることに慣れているが、この命令型では、そこに指示されるのは犯罪の禁止ではない。刑を受ける犯人は、彼の法義務を果すことになる。[二六]

つぎに、刑法規の後半の部分との關連において前半の部分から命令をひきだす場合には、その命令に禁止と科刑とが同時にふくまれている。科刑は概念上それに先行する禁止によって制約されない。むしろ、逆に禁止が科刑によって制約されているか、もしくは、禁止とならんでその禁止を拘束的ならしめるために、犯行にともなう法效果をかかげているのである。禁止が科刑によって制約されるとすれば、「汝もし刑を受けることを欲しないなら、竊盜を爲すべからず」という命令型になるが、それは同時に「汝もし刑を受けることを承知ならば、汝の欲するがごとくに行爲すべし」ということでもある。したがって、この命令型においては、犯罪を爲さないか、または、受刑の危險を冒して犯罪を爲すか、の選擇を人民に課しているのであり、内容上命令ではなく、將來の犯行者に對する親切な忠告であるであろう。したがって、この命令型では形式と内容とが矛盾している。形法規の後半の部分との關連において前半の部分からひきだされる命令型のもひとつの意味は「汝これこれを爲すべからず」というように、命令は無制約であるが、それが違反行爲の法放果を併せかかげることによってのみ、拘束的となるということである。しかし、違反行爲の法效果を指示することがはじめて命令を拘束的ならしめ、したがって、この指示がなければ國家が人民による命令の遵守を期待しえないとすれば、それは法效果をかかげることが、犯罪を行わしめないために、有效な畏怖心を起させるからであろう。犯罪を爲せば罰せられるという意識が、ひとびとをして犯罪を行わしめないのである。しかるとき、犯罪を爲しても罰せられず刑を免れうるという意識が、命令の權威を減殺するであろう。この考え方も正當であるとはいわれない。(一七)

最後に、刑法規の命令性を刑法規の前半の部分にもとづいて「汝これこれを爲すべからず」という無制約の命令型において見いだす場合、そのような命令は行爲の規範たるべき要件を完全に具えてはいるであろう。しかし、そのような型の命令は違反に對する法效果を示さないから法ではない、といわれるかも知れない。しかし、命令の法的性質はそれの違反に對する法效果が示されているか、いないかとは關係なしにも見いだされる。その命令の發せられる源を知れば、それ以上のことを必要とせずに、それの法的性質を見いだすことができる。また、それは法效果をかかげなくても、拘束的であ

る。上官の命令がその違反に對する效果を一々かかげなくても拘束的であるように。〔一八〕

犯人が犯した行爲の準則は何ら法效果を指示していなくても、法的禁止または法的命指である。このような命令は本質的には刑法規の規定の前半の部分を命令型に轉形することによって見いだされる。これが「規範」である。規範は概念上刑法規に先行する。けだし、刑法規は、規範違反の行爲に刑罰効果を科することを、示すものにほかならないからである。現今の立法は通常においてこの規範を明示しない。明文の上ではこの規範は隱されている。このゆえに、犯人は法規に違反して行爲するのではないのである。刑法規から規範を再形成することが、しばしば、はなはだ困難であり不確實であるとしても、再形成によって見いだされる規範が、つねに科刑と無關係な單純な命令であることに、疑いの余地はないであろう。〔一九〕

五　刑法規の背後に隱されている規範を見いだす第二の方法として、ビンヂンクの指摘するのは、諸々の現實的要求または需要に着眼することである。立法者にとっても、立法者に nachdenken する解釋者にとっても、規範はその形式と內容において、現實的需要から生ずる。その形式は命令（Befehl）であり、その內容は禁止（Verbot）または命指（Gebot）であるが、この命令は必ずしもつねに立法者から直接にあたえられないで、解釋者によってはじめて現實的需要から、見いだされなければならないこともある。元來、刑罰の目的とは異って、規範の目的は全く豫防的である。法は、その禁止した行爲が將來できるだけ廣く行われないこと、その命指した行爲ができるだけ廣く行われることを欲する。この禁止または命指を制約するのは、將來への見透しに關連する現實の要求または需要である。結局において、それは法世界に變化を生ぜしめることの利益または不利益の認識であるであろう。その利益の認識が命指を、その不利益の認識が禁止を、動機づけるのである。規範はこのような現實の要求からも認識される。〔二〇〕

規範を認識する第三の方法として、ビンヂンクの指摘するのは、成文法規から直接にこれを見いだすことである。規範が命令であり、服從されるべき支配者の意思の表現であるとすれば、規範に拘束されるひとびとの利益が、彼らをして自發的に規範を遵守せしめることが確實であればあるほど、また、このようなひとびとの範圍が狹ければ狹いほど、そして、國家が彼らの誠實に信頼しうることが大であればあるほど、それだけその違反に對する法效果をかかげる必要が少くなるであろう。命令者が同時に命令の受範者でもある場合には、强制效果をかかげることは無意味でもある。ここにいわゆる不完全法規（lex imperfecta）を缺きえない根據がある。しかし、それも規範であり、眞正な法規定であることは疑いを容れない。規範はこのような不完全法規から直接にも認識されることができる。〔二一〕

六　ビンヂンクによれば、刑法規の背後に隱されている規範はそれ自體として自立的であり、刑法規のなかに規定されるときにも、それ自體としては刑法規の一部分ではなく、獨立的である。純然たる不完全法規に示される規範があり、懲戒がそれの唯一の制裁であるような規範もある。規範は刑法規のおよばないところにまでおよび、規範によって禁ぜられる行爲は、刑法規によって刑を科せられる行爲よりも、はるかに廣範圍にわたっている。〔二二〕

刑法規は先行の規範にしたがって後から制定されるのが通例であるが、時間上は逆に、規範の成立に先じて刑法規が制定されることもある。規範も刑法規も、ともにライヒの法規であることもあるが、また、一方がライヒの法規で他方がラントの法規であることもある。規範と法規とは各々異ったときに發生し、異ったときに效力を生じ、その效力のおよぶ範圍を異にし、また、その變更や廢止が異った時と形式において行われることもある。したがって、規範がすでに廢止されたのちにも、刑法規がなお效力を持續し、逆に、刑法規が廢止されたのちに規範がなお存續し、あるいはまた、古い規範とならんで新しい刑法規が出現することもある。規範は刑法規から全く獨立に自立性をもつからである。(一三)

ところで、規範と刑法規との關係に關することであるが、從來しばしば「刑法規は犯罪を創りだすのではなく、單にすでに犯罪として確定しているものを明示的に再確認するだけである」といわれている。したがって、刑法規の制定は Produktion ではなく、Reproduktion である、ということになるであろう。古代ローマのひとびとが delictum を廣く違法行爲の意味に用いたように、犯罪という語を廣く解すれば、この見解は是認される。しかし、犯罪を「可罰的法違反」(strafbare Rechtsverletzung) に限定すれば、この見解は是認できない。法規によって刑を科せられている行爲は、すでにその法規以前に、違法すなわち規範違反でなければならない。しかし、法規以前には可罰的行爲ではないのである。ことに「法規なければ、刑罰なし」(nulla poena sine lege.) の原則を認める法制度のもとにおいては、刑法規の規定が、可罰的行爲としての犯罪を、創りだすのである。したがって、「規範は違法行爲を創り、刑法規は犯罪行爲を創る」(Die Norm schafft die rechtswidrige, das Strafgesetz die verbrecherische Handlung.) のである、(二四) とビンヂングはいう。

歴史的に見て、規範と刑法規の關係について三つの典型が見いだされる。その第一はモーゼの十誡であるが、これに對して法的性質を否定するのは誤りである。それは古代イスラエルの傳統にもとづき、神の言葉を再現したのであり、民族の最も神聖な義務であった。十誡は神の命令であるが、同時に法的にあたえられた命令であり、神の法であるとともに、民族の法であった。ところで、イスラエルの民族に對してこのようにも痛烈に命令をあたえたこの法典が、違反者に對する刑罰については全く沈默している。

十誡は十の規範をかかげているが、一の刑法規をも規定していない。それは現今の立法において、刑法規はあるが規範がないのと、全く對照的である。それは、犯罪は極度に憎まれたが、刑罰制度が未發達であったからである。古代ゲルマンにおけるように「平和喪失」(Friedlosigkeit) があらゆる犯罪に對する唯一の制裁であった當時において、あらゆる規範違反に對して、その法效果を一々かかげるということは、立法者にとって思いおよばなかったことであるであろう。刑罰制度が複雜化し、これまで刑罰に値いした行爲が刑罰に値いしないものになり、また、その逆になる、というように不斷に變化してきた。刑事立法が重要化し、ついにそれがおおむねの規範を、不可捉的 (ungreifbar) ではないとしても、不可視的 (unsichtbar) な領域に殘すことになったのである。

十誡の一面的命令と現今の二面的な刑法規との中間をなすものは、古代ローマの法規である。そこでは、しばしば、規範がその違反に對する刑法規とともに、明示された。それは一定の行爲を犯罪として特徴づけるに必要な三つの要件をかかげていた。禁止と、その違反に對する二重構造の刑罰規定、すなわち、lex と sanctis legis とをである。

最後に、ゲルマン・ドイツの立法史を見れば、規範と刑法規との關係の可能な三つの形式のすべてが見いだされる。十誡と同様に規範が成文法規に規定されたが、刑をかかげない。しかも、その違反には實際に刑が科せられた。つぎには、古代ローマの立法におけるように、規範と二重的刑法規とが明文の規定のなかに、併せかかげられた。最後に、現今のように、規範は成文法規から全く消失して刑法規のみがかかげられる。(二五)

七 以上においてビンヂンクの見解を要約したが、そこには法と法規との關係について豊かな敎示があるとともに、また、疑問とされるべきものも少くない。とくにここに指摘しておきたいことは、ビンヂンクが法規の命令性を否定して、結局、授權規定または肯定規定であるとすることである。それが彼の「規範學説」を特徴づけることにもなっているが、法規の命令性を否定する根據、とくに、それが裁判官や執行吏にむけられた命令でもない、と主張する場合の理由づけには、マイヤーやビンデルも指摘することではあるが、明かに論據の薄弱さが認められる。しかも、それは法規をもって直ちに裁判官にむけられた命令、したがって、裁判規範であると見る見解に對して、再反省を促すだけの意味はあるであろう。けだし、法規を法の現象形態とすれば、法規は規範を表徴するものではあるが、それみずからは規範ではありえないからである。したがってまた、法規を直ちに裁判規範と呼ぶことも、それを命令と見ることとも、ともに當らないことになるであろうからである。ここには細い批判的檢討を省くが、わたくし自身はつぎのように考える。法はすべての社會規範がそうであるように本質的には行爲規範であり、行爲規範であるがゆえに、行爲に對する評價の基準たることができ、法の場合には裁判の準則たることができる。したがって、法にはそれ自體に行爲規範的側面と裁判規範的側面とが、具っている。そして、近代の立法技術においては、法の裁判規範的側面を捉えて成文化するのが、通常になっている。法規は法の裁判規範的側面における現象形態である。

さて、ビンヂンクの所説からここにわれわれの敎えられることは、規範すなわち法と法規とが區別されるべきこと、現今の立法においては、おおむねの場合に、法は法規の背後に隱されていること、法は法規とは獨立に生成するものであること、そして、犯人は法を犯すが法規を犯すのではなく、法が行爲の違法かどうかを決定し、法規がそれの可罰的かどうかを決定する、ということである。彼のいう「規範」の實體は「國家の意志」とか「支配者の意志」ということに歸着するようであるが、この點に關して、彼から充分の說明を見いだすことはできない。

（一）Karl Binding, Die Normen und ihre Uebertretung, Bd. I, 1872; Handbuch des Strafrechts, 1885.

（二）Binding, Die Normen, Bd. I, S. 3.

（三）a. a. O. SS. 3—6.

（四）a. a. O. S. 7 f.

（五）a. a. O. S. 8.
（六）a. a. O. S. 9.
（七）a. a. O. S. 10.
（八）a. a. O. S. 11 f.
（九）a. a. O. S. 13.
（一〇）a. a. O. S. 13 f.
（一一）a. a. O. S. 14 ff.
（一二）a. a. O. S. 16 ff.
（一三）a. a. O. S. 19 ff.
（一四）a. a. O. S. 35 ff.
（一五）a. a. O. S. 36 f.
（一六）a. a. O. S. 37.
（一七）a. a. O. S. 38 f.
（一八）a. a. O. S. 42 ff.
（一九）a. a. O. S. 44 f.
（二〇）a. a. O. S. 51 ff.
（二一）a. a. O. S. 63 ff.
（二二）a. a. O. S. 81 f.
（二三）a. a. O. S. 83 ff.
（二四）a. a. O. S. 123 f.
（二五）a. a. O. SS. 135—148.

三　マイヤーにおける文化規範と法規範

一　ビンヂンクは規範と刑法規とを區別し、犯人は刑法規に先行する規範を犯すが、刑法規を犯すのではないとし、規範を犯す行爲が違法行爲であり、違法行爲に對して國家の刑罰權の發生、内容、終了を定めるものが刑法規であり、そのようなものとして刑法規は授權的または肯定的規定であるとして、「規範が違法行爲を創り、刑法規が犯罪行爲を創る」と說いた。これとの關連において、われわれの注意をひくのはエム・エー・マイヤーの文化規範と法規範との區別である。(一)

マイヤーにとっても「法の侵害」(Rechtsverletzung) ということは、「法的に erheblich な侵害」ではあるが、客觀的に法の侵害ではなく、主觀的に權利の侵害でもない。法(ならびに權利)は人民によって犯されうるものではなく、人民の犯しうるのは「文化力としての法」(das Recht als Kulturmacht) すなわち「法規範のなかにひそむ文化規範」にほかならない。その限りにおいて、マイヤーの「文化規範」はビンヂンクの「規範」と同じ地位にあるとともに、他方において、マイヤーの法または「法規範」と呼ぶものが法規と同一のものであることが、注意される。マイヤーはビンヂンクと同様に、法が人民にむけられたものではなく、したがって、人民によって犯されうるものではないと說き、人民にむけられたものでない法が、何ゆえに人民にとって拘束的でありうるかの根據を問うて、それは法と文化規範との一致にもとづく、と說くのである。この點について、彼の所說を要約すれば、おおむねつぎのようである。

マイヤーにとって、人間の社會はすべて文化社會であり、人間がすべて社會のなかに生活するということは、文化のなかに生活するということであり、そのような人間の社會したがって文化を成立させている規律が「文化規範」と呼ばれるのであるから、文化規範はそのまま「社會規範」と呼びかえられても少しも差し支えのないものである。〔二〕同様にして、彼がしばしば説く「文化の要求」というのは「社會の要求」と呼びかえられうるものであることを注意しておきたい。

マイヤーによれば、文化規範というのは、宗教的、道徳的、習俗的な命指および禁止として、また、取引上および職業上の要求として、各人に意識されている命指および禁止の全體である。特定社會における人民の大多數者を見れば、各人のなかに彼のいだく義務意識と一般に承認された義務との一致が見いだされるが、それは各人が特定の文化社會の一員であることにもとづく。文化の要求つまり社會の現實的需要は、各人に對して多種多様な仕方と通路において現われる。また、各民族において代々にうけつがれる文化的傳統も無數の通路によって生成する。學校や家庭における教育、教會や公共生活への參加、兵役または特定職業においてあたえられる訓練、そのほかすべては文化的傳統の生成し進展する通路である。文化規範とはこの文化の要求にほかならず、それは文化のなかに生活する各人によって知られ承認されているものである。このゆえに、法はそれみずから人民にむけられるものでなくても、それが文化規範と一致することによって、人民に對して拘束的であることができる。法の拘束が文化によって各人に課せられている義務と一致しておれば、何人も、彼に課せられていない規範にしたがって裁判されるとは、いうことができないからである。〔三〕

元來、原始社會においては文化規範と法規範とは、一致していたのみならず、一つであった。しかるに、民族または種族が漸次に單一の統一的社會たることを止揚し、社會が多くの社會に分裂し、利益および利益共同體がますます複雜化し、社會的摩擦面がますます擴大する。多くの社會が各個人から多種多様に要求する。そのようにして、唯一の秩序から多くの秩序が分化する。この分化過程において、法規範が文化規範から分離する。しかし、この分離において法が新たな內容を取得するのではなく、ただ、獨自の形式と保障を取得するだけである。法に獨自な形式は、文化規範に違反する行爲に法效果を結びつけることであるが、すでに文化規範によって禁ぜられていたのでなければ、いかなる行爲も、法によってはじめて禁ぜられるということはない。他面において、法は最も强大な物理的强制手段を支配するにいたつた文化規範であり、國家が外的强制を獨占した段階においては、法は國家の保障する文化規範である。このようにして、法は文化から獨立して獨自の存在となったが、しかも、法そのものが文化の一要素であって、法と文化との間にはつねに相互的交流關係がある。法は不斷に文化からその內容をくみとる。しかし、ときには、法は文化に對して創造的でもある。しかるとき、その法はやがて文化のなかにとけこんでいかなければならない。長く文化に受容されない法、つまり、文化のなかにとけこまない法、または、文化の進展にとりのこされた法は、非難をうけなければならず、非難をうけるに値いする。(四)

二　法と文化との交流關係について、マイヤーはさらに、文化から轉化する法と文化へそそぎこむ法とを區別して、つぎのようにいっている。法と文化との交流關係を見る場合には、Satzung としての法すなわち法規と、國家機關の全活動としての法——その主要なものは司法であるが——とを區別しなければならない。法規そのものは一國民の文化に對して何ら直接の影響をもたず、この意味において全く受働的である。通常においては法規は施行の日から文化と一致しており、漸次に文化のなかにとけこんでいく。しかし、この場合に法規はその固有の力によって文化のなかにとけこむのではなく、司法活動を媒介としてである。この點において法規は全く受働的であり、能働的に作用するのは司法活働である。司法は法規を適用することによって、人民一般に、または、一定範圍の關係者間に、法規の意思と内容上一致する考え方を培い擴めるのであり、これによって、はじめに法規範と文化規範との間に缺けていた一致を、後から發生せしめるのである。もちろん、司法によって法規が適用されるのであるから、この仕方において法規そのものも間接的に作用する。しかし、法規の指示がどのように實際にとけこんでいるかを見ようとする者は、紙の上の法規から眼を轉じて、實際の生活關係に着眼しなければならない。書かれた法は大衆にはつねに疏遠であり、その抽象的規定は彼らにとって充分に理解されるものとはならない。しかるに、裁判所の宣告した法は同じ問題に關心をもつひとびとによって注意される。近所の某が訴訟に敗けたとか、某の息子が拘留されたとか、いうようなことが、實際に文化に働らきかけ、習俗を修正する法であり、ひとびとの道義感をうごかし、法感情を刺戟し、これまで無批判に慣行されてきたことを不當な慣習として意識せしめる法である。この過程は敏速に進展するものではない。最初のチェネレーションは反抗心をいだきながら、法の强制に屈服する。つぎのチェネレーションはそれに對して無批判となり、そのつぎのチェネレーションは、無意識的にすら法の指示する方向において行爲を規律し、それと異って行爲することを躊躇することになる。法的傳統は、そのはじめ文化と疏遠な法規から、文化のなかにとけこんで、文化の構成部分となる。法が文化的傳統の流のなかにそそぎこむのである。立法者はこの法的傳統をどの程度に評價すべきかを、よく知っている。彼は新しい法規において舊い法規との連續性を注意する。彼は人民に全く新しいことを課することを憚る。新しいことは、ときにはなはだラショナルであるとしても、大衆に理解され難いからである。しかし、立法は文化的進歩を推進すべきであり、このゆえに慣習化したことに靜止することができない。既成の規範への依存と、新しい準則への國民の教育との間に、正しい中庸を見いだすことが立法者の最も重大な任務である。現存の文化のなかにとけこみながら、しかも、文化を推進する法規のみが、その社會的使命を果すことができる。(五)

文化のなかにとけこまない法規は、文化にとりのこされた法規と同様に、惡しき法規である。そのような法規は、その文化的根柢との一致を缺く限り、その拘束性に何ら合理的根據を有しない。その拘束力は單にそれが法規であるからだけにすぎない。それは形式法理論的拘束力にすぎず、文化規範との一致を缺くがゆえに、正當とはされえない。このような法規がしばしば存在することは、否定されえない。しかし、この事實の前に原理的主張を退かすべきではなく、むしろ、このような事實がこの原理的主張の前に退くべきである。したがって、この原理的な主張は、事實と矛盾する限りにおいては、事實に對する批判的主張でもある。(六)

さらにマイヤーにとって、法規はその形式的考察にとって、單なる抽象的命令であるとしても、その實質的考察にとっては「文化規範の沈澱」（Niederschlag der Kulturnorm）である。彼はいう、法規がその内的作用において國家官吏に對する命令であるとしても、その外的作用において人民に對する行爲規範として作用するのは、それが文化規範と一致するからである」。人民は法規にしたがって行爲するのではない。ビンヂンクが刑法規について指摘したように、刑法規と一致して行われた行爲が犯罪なのである。人民は法規にしたがってではなく、文化力として法、いいかえれば、法のなかにひそむ文化規範にしたがって行爲するのである。（七）

このようにして、マイヤーは法規を國家官吏に對する命令、したがって、裁判規範と見、直接に人民に對する命令とは見ない。法規が文化規範と一致すること、または、法規の指示が文化規範のなかにとけこむことによつて、法規もまた人民にとっての行爲規範としての拘束力をもつが、そして、そのことに裁判が重大な媒介的役割を演ずるが、人民にとって直接に行爲規範としての拘束力をもつのは、文化規範であって法規ではなく、兩者が一致した限りにおいては「文化力としての法」または「法のなかにひそむ文化規範」である。

しかし、法規はマイヤーにとっても、人民に對して何らの關係をももたないのではない。法規は、（その對內的機能において）裁判規範であるが、その對外的機能において人民に對して關係をもつ。しかし、その對外的機能において法規のもつ役割は、規範としてのそれではなく、保障（Garantien）としてのそれである、というのである。（八）彼によれば、このような法規のもつ人民に對する保障としての役割は、國家が一定の利益と義務を認めて、その保障のために國家の權力を行使するであろうことを、人民に對して約定することにおいて成立する。したがって、法規は人民に對しても、國家機關に對すると同樣に、國家の側からの意思表示である。しかし、この意思表示は人民にとっては命令ではなく、約定（Versprechen）であり、保障證（Garantieschein）である。そして、國家の意思表示としての法規は、國家機關に對する命令であり、したがって、それにとって規範であればこそ、人民にとって保障である。國家はその法規をもって、その機關に對して、一定の利益を一定の仕方で保護すべきこと、したがって、その利益に對應する義務の履行を追求すべきことを、命ずるのであり、國家機關に對するこのような命令が、當事者たる人民にとって國家の保障の約定であるのである。したがって、國家の人民に對する約定としての法規は、一面において權利者にとって保障の約定であるとともに、そのゆえに、他面において義務者にとっては一つの威迫（Drohung）である。必ずしもつねに恐ろしい威迫でないとしても、一定の文化的行爲基準の回避が一定の法則にしたがって强制され處罰される、という內容をもつ威迫である。このようにして、法規もまた、その對外的機能において、人民に對して作用をもつ。しかし、その本質は、人民にとっての行爲規範ではない、とマイヤーは考える。（九）

三　以上のようにして、エム・エー・マイヤーは文化規範と法規範とを區別し、文化規範を法規範の正當性の根據としたのであったが、彼において法規範は「規範」と呼ばれながら、法規とは充分に區別されていない。他方において「文化力としての法」すなわち「法のなかにひそむ文化規範」ともいっているが、これはもはや單純な彼のいわゆる「法規範」すなわち法規ではないであろう。彼にとって法規は、文化規範の沈澱であり、獨自の形式と强制手段の保障によって獨立した文化規範にほかならない。しかし、それは獨立化しながらも、「文化規範の沈澱」として、なお文化規範を表徴するものであり、文化規範にもとづくがゆえに正當性をもち、そのようなものとして、それみずから文化の一要素である。「文化規範の沈澱」として、法規はその實質的意味の上において文化規範を志向し、文化規範を宿すのである。これが「法のなかにひそむ文化規範」であり「文化力としての法」である。そして、一般に文化規範は「文化の要求」であり、ひとはすべて特定の文化のなかに生れ活動し生活するのであるから、ひとびとにとって文化規範は、その日常生活およびその日常的意識と疏遠なものではないはずである。文化規範に違反する行爲に法的效果を結合させるのが法規であり、このゆえに、犯人は文化規範を犯すが、法規を犯すのではなく、むしろ、彼は法規と一致して行爲したからこそ犯人である。この限りにおいて、マイヤーの文化規範は、ビンヂンクの「規範」と同一である。ただ、ビンヂンクの「規範」よりも、マイヤーの「文化規範」の方が廣いということができるとともに、他面において、ビンヂンクの「規範」は彼自身によって、ときに、國家意思または支配者の意思と說かれているが、必ずしも明かでないのに對して、マイヤーの「文化規範」は彼の「法規範」との區別において、國家外的なものであり、社會的なものであることにおいて、ビンヂンクの「規範」と本質的に異るものであることを、注意しなければならない。この見地からすれば、ビンヂンクの「規範」は、マイヤーの「文化規範」ではなくて、「文化力としての法」すなわち「法のなかにひそむ文化規範」にあたるであろう。ビンヂンクは刑法について廣義の “Rechtssatz” を「規範」と「刑法規」

に分解し、「規範」は近代の法規の形式においては、おおむねの場合に、その背後に前提されながら隠されている、というのである。そして、ビンヂンクは「規範」を認識する方法として、第一に刑法規にふくまれている前提命題を命令に轉形すること、第二に現實生活の諸要求にもとづいて、これを見いだすこと、第三に法效果について何ら規定しない不完全法規から直接にこれを見いだすこと、を説くのである。ビンヂンクは廣義の"Rechtssatz"のなかに隠されながらも、ふくまれている「規範」を問題にしたのであり、まさに、それは「法規範」と呼ばれてしかるべきものであった、ということができる。しかるに、マイヤーの「文化規範」は廣く文化一般にわたるものであり、その一つの沈澱が「法規範」である。そのマイヤーの「法規範」は、その「外的作用」において「文化力としての法」であり、人民に對する行爲規範であるが、その「内的作用」において官吏に對する命令として裁判規範であったのである。「内的作用」と「外的作用」とは、すでにイェリング（「法目的論」第一卷）が、これを區別して考察したのであったが、イェリングにおいてもマイヤーにおいても、法規範と法規とが、充分に明確に區別されていなかったことが注意される。

ただ、マイヤーが「文化規範」をば社會の行う文化批判であるのに對して、彼のいわゆる「法規範」をば、國家の行う文化批判であると説いたことは、達見であるといってよいであろう。

すなわち、マイヤーによれば、（二〇）文化はその現實形態において、「文化過程」と「文化規範」と「法規範」の三つの形態において實現する批判的力であるが、その第一の形態である「文化過程」は文化そのものの自己批判であり、相異った文化圏域相互間の交流において展開し、この相互的交流において文化交換あるいは文化闘爭を招來し、價値の平和的もしくは敵對的決裁をもたらす。それは高き文化と低き文化との征服過程において、また、新たな理念の出現、古き理念の消滅において、またあるいは、一つの文化圏域に內在していた慣習がその實效力を失うとか、または、反對に新たな文化圏域を征服してそこにまで擴延するとか、もしくはまた、宗教的であった從來の文化傾向が經濟的な文化傾向によって解體されるとか、要するに、價値の浮沈、征服、發生、消滅の過程において、文化の過程の批判的機能が現われる。この不斷に行われる價値の分解・更新は、文化過程そのものの內部で行われることであるから、文化の自己批判にほかならない。文化批判の第二の形態である「文化規範」は、文化または文化の創造者としての社會が、社會における要求を提示する形式であり、社會はその成員からその社會の利益に適應するような行動を要求し、社會的行動と反社會的行動とを區別して批判を行うのであり、當該社會の文化と一致する行動が社會的行動とされる。「法規範」は宗教規範や道德規範とともに、このような「文化規範」に屬するが、後二者と異った特殊性のゆえに、文化批判の第三の形態とされる。法規範の特殊性は、それが國家の行う文化批判であることにある。國家は特定の文化規範を承認し、他の文化規範を排斥して、適法なものと違法なものを區別し、そうすることによって、その法規のなかで文化に對する國家みずからの態度を表示するのである。したがって、ここでは文化は國家によって行われる批判の對象として見られる。このようにして、文化過程が文化そのものの自己批判であり、文化規範が社會の行う文化批判であるのに對して、法規範は國家の行う文化批判である、とマイヤーはいうのである。

（一）Max Ernst Mayer, Rechtsnormen und Kulturnormen, 1903; Rechtsphilosophie, 2. Aufl. 1926.
（二）Rechtsphilosophie, 2. Aufl. S. 34 ff. insb. S. 38.
（三）M. E. Mayer, Rechtsnormen und Kulturnormen, S. 17 ff.
（四）a. a. O. S. 19 ff.
（五）a. a. O. S. 24 ff. S. 48 f.
（六）a. a. O. S. 26.
（七）a. a. O. S. 40 f.
（八）a. a. O. S. 49 ff.
（九）（八）に同じ。
（一〇）M. E. Mayer, Rechtsphilosophie, 2. Aufl. S. 34 ff.

四　ビンデルにおける法規一元論

一　エム・エー・マイヤーは文化規範と法規範を區別しながら、法規範と法規とを充分に明確に區別しなかったのに對して、ビンデルは法規範と法規との同一性を強く主張し、「法規範」と呼ぶことを排斥さえしている。[一]

ビンデルはその著「法規範と法義務」（一九一二年）のなかで、法規範と法規と同一であることを主張し、ビンヂンクの「規範」およびマイヤーの「文化規範」に反對するとともに、法規すなわち法規範は裁判官にむけられる命令であって人民にむけられるものではないから、人民を何ら義務づけるものではないとし、法規範とともに、法義務の概念をも排斥した。その要旨はつぎのようである。

ある者の権利には他の者の法義務が對應している、というのが近代法學にとって自明のこととされているが、その際に、法義務は主權によって服從者にあたえられた命令としての法規範の直接の歸結である、と考えられている。主權者の命令から法義務が生じ、これに對應して權利が間接的に生ずる、というのである。このようにして、通說において權利の觀念と義務の觀念は密接に關連しながら、根本的に法規範の本質に關する一定の見解に制約されている。その見解では、法規範が人間相互の行態を規律する行動準則であり、一定の權威から人民にむけられ、それに內在する强制要素のゆえに彼らを拘束し義務づける命令である、と考えられている。(二)これに對してビンデルは、この見解はひろく法の全領域におよんでおり、ことに、刑法の領域において重要な意義をもち、違法性や刑罰や刑の執行などの本質に關する學說に深い影響をあたえているが、私法の領域にとっても重要な意味をもつことである、といい、根本的にはあらゆる法問題が法規範というこの根柢的な法概念に歸着する、と說き、法規範の本質の問題を解く手がかりとして、債務の本質、債務と責任の問題をとりあげている。(三)

通說によれば、債務の根柢にあるものは「汝は債權者に給付すべく約定したものを、彼に給付しなければならない」という命令である。この命令の直接の歸結が給付の義務すなわち債務であり、これに媒介された第二次的歸結が債權者の請求權である。

ところで、とビンデルはいう。このような債務の本質は、一九世紀に支配したロマニストの見解では“Leistenmüssen”であったが、一九世紀末からゲルマニストによって、これが批判されはじめた。

ゲルマニストによれば、債務は決してロマニストの考えるように單純なものではなく、債務關係において「債務と責任」(Schuld und Haftung) が區別されなければならない。債務は債務者に對する法秩序の命令にもとづく "Leistensollen" であり、責任はこの給付についての、人、物、または特定財產をもってする代償强制 (Einstehenmüssen) において成立する。債務の本質は當爲 (Sollen) であるから、爲すべき給付そのものは少くとも直接には强制されることができず、債務と並存する責任の實現によって間接に强制されるだけである。この責任は、古代ローマ法では、債務者にとって、債權者による債務者の殺害、または少くとも、その奴隸化において成立した。ゲルマン法でも、履行を怠った債務者の身柄に對して同樣の不利益を課したが、そのほかに、債務者の財產を毀損することを債權者に許容した。いずれの場合においても、債權者は彼の取得するはずであったものも、また、その代償をも取得せず、彼の給付を受ける利益は、一般に滿足されなかった。責任の實現は給付の代償であるよりも、給付しなかったことに對する刑罰であった。近代の私法において、身柄をもってする責任 (Korporalhaftung) は消滅し、一般に執行權が關與するときの債務者の財產が責任を負うが、なお、この責任財產が特定の財產に限定されることもあり、保證におけるように、責任が債務から分離して成立することもある。責任の本質は、債權者が特定の對象を彼の給付利益の滿足にまで强制的に換價することができるということにあり、債務が單なる當爲として法强制に服しないのに對して、責任の本質は財產が强制執行の對象であるということにある。(四)

本來、債務すなわち給付義務が "Leistenmüssen" であるという考え方は、それ自體矛盾した考え方であったのである。債務の本質が“Müssen”であるとすれば、債務者であることは奴隷になることであるだろうが、それは近代の法理念に適應しない。のみならず、“Leistenmüssen”の觀念は、從來すべての債務論の出發點であった給付義務の理念とも矛盾する。けだし、義務（Pflicht）はつねに自由な人格を前提し、Müssenにまで高められた强制と相容れないからである。義務に適應するのはSollenのみであって、Müssenではありえない。（五）

このようにして、給付義務の本質は給付當爲（Leistensollen）であるが、この給付當爲は、他のあらゆる法義務と同様に、法規範の反射であり、法秩序によって債務者にむけられた命令の歸結でなければならない。しかるに、當爲、したがって、それを本質とする義務は自律的人格を前提し、そのものとして强制されることができない。したがって、それはもともと法的觀念ではありえないのであり、給付當爲を本質とする給付義務、および、一般に法義務の觀念は、法理的考察から排除されなければならない。しかるとき、債務關係においてのこるものは責任の觀念だけであり、債務の本質は責任にある、といわなければならない。このように、債務者の法的地位に法義務の觀念を排して責任をだけ見るとともに、一般に、法義務に關する通說の出發點たる見解が排除されなければならない。法規範は債務者に對して、一般的には人民に對して、むけられた命令ではないのである。（六）

二　法規範は命令をふくまないとする見解は不當である。法規範は命令をふくむ。しかし、その命令は人民にむけられたものではない。したがって、法規範によって人民はいかなる法義務をも課せられない。法規範は裁判官にむけられた命令であり、裁判官を義務づけるものであるが、人民を義務づけるものではない。これよりほかに、いかなる法規範もない、というのがビンデルの考えである。したがって、ビンデルにとって、法規範と法規とは同一の概念であって、別々のものではない。通説は法規範と法規を同一視しながら、それを人民に對する命令であるとし、これによって人民に法義務が生ずる、と考える。これに對してビンデルは、現代の法規、ことに、刑法規が刑罰効果をかかげるが、何ら直接に禁止をかかげないこと、この事實が法規を人民にむけられた命令であると見る通説と矛盾することを、指摘する。ビンデルによれば、ビンヂンクはこの點に着眼し、結局において、兩者を一致せしめようとしたのであり、通説に反對するように見えながら、その根柢においては結局、法規範が人民にむけられる命令であるという、通説の見地に立っていたのである。しかし、ビンデルにとって、ビンヂンクの「規範」は承認できないとともに、刑法規がビンヂンクの説くように命令でないのではなく、命令である。ただし、通説の説くように、人民に對する命令ではなく、裁判官に對する命令である。現今の刑法典の規定は、ビンヂンクのいう意味の刑法規をのみふくみ、彼が刑法規によって前提されているとする「規範」を容れる餘地は全くない。ビンデルはさらにいっている。この「規範」の存在と效力とが何にもとづくかについては、ビンヂンクは何の説明をもあたえていない。「規範」の發生の源について何の證明をもあたえないにかかわらず、ビンヂンクはこの「規範」を主張することによって、論理上の困難を回避しようとしたが、原理的意義をもつ新たな法理上の困難におちいった。それは、ビンヂンクが法規範および法義務に關する通説的見解から脱却していなかったからであり、ビンヂンクにとってもまた、法の本質が人民にむけられる命令であったからである。しかし、まさに刑法規範においてこそ、他のあらゆる法領域におけるよりも容易に、法規範が法規と同一であり、人民にではなく官廳にむけられた命令であることが、證明される。刑法規のなかに刑法規範が見られなければならず、刑のもとにおかれた構成要件（Tatbestände）が求められなければならない。すでに、そのことから刑法規と並立するとされるビンヂンクの「規範」が何ら法的根據をもたないことが明かである。刑法規は規範である。規範と刑法規は二つの別のものではなく、一つであり、官廳にむけられる命令である、とビンデルは說く。(七)

ビンデルによれば、このことは刑法の領域のみならず、他の法領域についても認められる。權利保護制度と實體法の關係の本質を見れば明かである。一般に考えられているように、權利保護制度が實體法を前提するのではなく、逆に、權利保護制度が實體法を制約するのである。裁判所および權利保護なくして、訴や判決や執行の制度なくして、法（權利）はない。このような見地から歸結されることは、法秩序が權利を保護するとすれば、それは法秩序が裁判官に一定の條件のもとにかくかくに、他の條件のもとには異って、判決すべきことを命ずることによってである。人民は「法規範の客體」（Objekt der Rechtsnorm）であるが、宛名人（Adressat）ではない（ただし、人民は法規範の客體であるという見解は、そののちの著作でビンデル自身によって修正された——後述參照）。法規範が人民にむけられるものでないとすれば、固有の意味において人民の法義務ということはありえない。法秩序の歸結は「義務づけられていること」（Verpflichtetsein）にではなく、「服從させられていること」（Unterworfensein）において成立する。法は自主的に自己を貫徹することのできる現實の力であり、

一般に義務づけることとは何ら關係がない、とビンデルはいう。(八)

三　一般に法義務ということがないとすれば、債權法の領域においても、義務すなわち債務は問題ではなく、責任だけが問題である。訴訟と實體法の關係についても、訴訟が實體法を前提するのではなく、實體法が訴訟を前提するのである。訴訟が責任を前提するのではなく、むしろ責任が訴訟において訴訟から具體的に成立するのである。債權者が給付について訴え、裁判所が被告に給付を判決し、執行吏が物を債務者から强制的に收取すれば、それは債務者の給付義務の結果ではなく、給付に對する債務者の責任が法に適合して形成され斷定されたことの結果である。なるほど、今日の法典は明かに給付の義務および義務の履行を規定している。しかし、それはこれらの法典が一定の學說にもとづいていることを示しているだけで、その學說が正しいということにはならない。その淵源はおそらく自然法學派にあるであろう。實際に、それは法的觀點と道德的觀點とを、たえず混同していた。義務は決して法的概念ではない。法規範そのものは、直接的强制（Müssen）にも、義務づけの命令（Sollen）にも、何ら關係しない。(九)

このようにして、ビンデルにとって、法規範という概念は、一般に考えられているような意味においては、すてられなければならない。法規は規範であるというのは、それが人の行態にとって準則であるということである。この意味において、論理的、美學的、倫理的規範は語られるが、法規範は語られない。「一方において自然法則が規範からはなれるように、他方において法規定が規範から分別される。法規定の效力の根據は、メカニックな必然性にでもなく、對象的正當性にでもなくして、もっぱら、その貫徹可能性（Durchsetzbarkeit）にある」。純法理的考察による限りは、この歸結よりほかにありえない。「法は法的に何ものにも義務づけない」（Das Recht verpflichtet rechtlich zu nichts.）のである。（一〇）

四　ビンデルはまたその著「法規範の宛名人とその義務づけ」のなかで、つぎのようにもいっている。「わたくしは従前（前著「法規と法義務」を指す）刑法規について、規範とは刑法規であるといったが、今や民事法について、規範とは權利保護命令（Rechtsschutzbefehl）または權利保護の約定（Rechtsschutzversprechen）であると主張する。しかも、單にその（機能的）結果においてではなく、その直接的な最も固有の本質においてである。全民法典は抽象的構成要件に結合した權利保護命令よりほかの何ものをもふくまない。そして、民法典はそれをふくまなければならない。けだし、他の方法では權利は成立しないし、考えられえないし、この權利保護命令はほかの場所では見いだされえないからである。この權利保護命令の（機能的）結果においてのみ、法規は權利をあたえるのであり、そして、權利はかの命令にもとづく訴權よりほかの何ものでもなく、單に特殊な觀點からこれを見たものにほかならない（一一）」と。

ビンデルにとって、權利はそれ自體として存立するものではなく、法の保護の歸結である。同様にして彼によれば、契約や人の生死や婚姻や犯罪なども、いずれも二重に考察される現象であり、一方においてはその純事實性において、知覺對象として見られ、他方においては、法的に意義あるものとして評價される。しかるに、法的考察は法規範がこれらの純事實性における現象を越えて立つがゆえにのみ可能である。法的に拘束されているということは、一定の行爲が法規のもとにあてはめられることにほかならず、したがって、法的判斷の歸結であって、法的判斷以前の事實に屬することではない。このようにして、ビンデルにとって、權利も義務も法規以前にあることではない。けだし、法は人民に對して命ずるものではなく、裁判官に對して命ずるものであり、本質的には裁判規範であるからであり、法規よりほかにいかなる法規範も存しないからである。法規は法規範と同一であり、それよりほかの法規範はない、というのがビンデルの主張である。〔一二〕

五　ところで、われわれはビンデルがつぎのようにいっていることを、注意しなければならない。ビンデルによれば、法は法的に何ものにも義務づけないとはいっても、これによって法秩序の命令が一般に人間にとっていかなる規範性をも有しないというのではない。ただ、この規範性が法の領域とは全く異る他の領域、すなわち、道義の領域に屬することである。人間の道義的意識は、法秩序への服從を要求する。國家秩序および法秩序を人間の本性にもとづく制度として肯定し尊重し、その命指に適應して行爲することとは、道義の命令である。その限り、法秩序は道義的に indifferent であるが、間接には道義に對して relevant である。法秩序に對する人間の行態を規律する規範は、法に屬せずして、倫理に屬する。それは自然必然性の意味において機能するのではなく、外的貫徹可能性の意味において機能するのでもなくて、正當性の意味において機能することである。いわゆる法義務と呼ばれるものは、法の領域にではなく、倫理の領域に屬することである。〔一三〕

ビンデルが「法は法的に何ものにも義務づけない」として、一般に法義務の觀念を否定するとき、そこに考えられる「義務」の觀念は、あまりに狭く嚴格にすぎるのではあるまいか。ビンデルみずからもいっているように、（二四）それはカントの影響であるが、義務を狭く道德的義務に限定しなければならない理由はなく、道德的義務と法的義務とを區別しながら、兩者をともに義務と認めることに反對すべき理由はない。義務についても “Legalität” と “Moralität” を、二つながら認めることができるであろう。ビンデルが義務を嚴格に道德的・自律的義務に限定して出發していること、それにもとづいて一般に法義務の觀念を否定し、法と義務とが相互に親しむことのできない觀念であるかのように說くことは、われわれの承服することのできないことである。

　また、ビンデルが「人間の道義的意識は法秩序への服從を要求する。國家秩序および法秩序を人間の本性にもとづく制度として肯定し尊重し、その命指に適應して行爲することは道義の命令である。」というとき、そのような「道義の命令」が、マイヤーの說く「文化規範」と、本質的にどれほどの相異をもつのであろうか。いわんやビンデルにとっても、「道義の立場から批判と非難をすら加えなければならない」ような法もあるのであり、したがって、「法秩序の命指に適應して行爲することは道義の命令である。」とはいっても、單に法秩序ではなく、具體的內容をもって一定のことを命指する法に適應して行爲すること、しかも、「道義の立場から批判と非難」を加えられないような法の命指に適應して行爲することが、道義の命令なのであり、そこに道義規範に底礎される法規範、それに適應して行爲することを道義によって要求されるような法秩序の命指が、認められていたはずである。ビンデルにとって法規範が裁判規範よりほかのものでないとすれば、ひとびとがそれに適應して行爲することを道義によって要求される「法秩序の命指」（Gebot der Rechtsordnung）というのは、そもそも何であるか。それは法規を越えて、單に裁判官に對してではなく、社會におけるひとびとに特定の行態を命指するものでなければならない。それを「法秩序の命指」と呼ぶならば、ビンデルみずから法規と區別される法規範を認めていたことにはならないであろうか。

なお、ビンデルはしばしば「法秩序」といっているが、そのいかなるものであるかについては何ら說明がない。それが「法規」と同一のものであるはずはないであろう。それが法規と關連しながら、しかも、區別されるものであるとすれば、法秩序のなかに生活してこれを擔うひとびとの意識のなかに宿る行爲の準則、ビンデルのいわゆる「法秩序の命指」は、まさに「法規範」と呼ばれてしかるべきものではないのか。少くとも、それはビンデルの「法規」とは區別されなければならないものであり、また、それに適應して行爲することが「道義の命令」であるとされる場合の道義規範とも區別されなければならないものと考えられる。法義務を否定し、法規と別な法規範を否定するビンデルが、隨所に「法秩序の命指」を語ることには、わたくしとして充分に了解できないものがある。もっとも、ビンデルも「犯人は法規を犯すのではなく、法規によって作られ維持される法平和（Rechtsfrieden）を破る。」といい、〔一五〕犯人が法規を犯すというのは「彼がその行爲によって法共同體の存立條件を脅かすことである。」といっているが、〔一六〕その「法平和」または「法共同體の存立條件」は「法秩序」と同一のものであるか、少くとも、密接に關連するものであるであろう。そして、「法共同體」に生活するひとびとにとって、その存立條件や法平和について、法規を知ると否とにかかわらず、規範意識がもたれるであろう。そこに法規範の生成する領域を見ることができるはずである。ビンデルはまた「法を法たらしめるものは、法規と國家的强制機構との關連である。」ともいっているが、(一七)「法規と國家的强制機構との關連」によって法たらしめられる法は、法規を越えたものでなければならないであろう。法規を越えた法は、法規範にほかならないのである。ビンデルは法規と法規範の同一性を强調し、その立場から、法規と別な法規範の觀念を否定しながら、彼みずから隨所に法規と法規範を區別している、といわなければならない。

なお、ビンデルは「日常生活においても、ある者に語りながら、他の者を考える、ということがしばしばある。そこで法規範の宛名人の問題についても、その形式的側面と實質的側面とを區別することができる。」といっているが、(一八)まさに法規の實質的側面、すなわち、その實質的意味の領域において、法規範が見いだされなければならないのである。しかるとき、ビンデルの立場から、ビンヂンクの「規範」を排斥する理由はない、といわなければならないであろう。

最後に、ビンデルは「法規範と法義務」のなかで「人民は法規範の客體であって、その宛名人ではない。」と說いたのを、(一九)そののちに「法規範の宛名人」のなかで修正して、つぎのようにいっている。(二〇)「それは(彼の前の說)人民を法秩序の單純な客體としたが、その限りにおいて法の本質と一致しない。法主體は理性本體(Vernunftwesen)としての、その特性における人間であり、倫理の主體(Subjekt der Ethik)としての特性における人間である。彼がこのようなものとして認められるのは、法秩序が彼の意思と見識に志向するからであって、法秩序が彼をこのように扱うからではない。わたくしが從來主張した見解は、各個人をもまた組織的な民族共同體との克服しえない對立においた。この對立は現實にも理念にも適合しない。また、國家、共同體が單に『扱う』というのは無意味である。むしろ、この意思はまず共同體の生活意思であり、この意思が共同體の成員をこの生活によるものとして前提し、彼らの行態を制約しようとするのである。」と。人民が法の客體にすぎないものであれば「法的主體」の觀念は成立しない。ビンデルの修正は承認される。しかし、苦しい修正であるといわなければならない。それは結局において、法規をもっぱら裁判官にむけられたものと見、それよりほかに法規範を認めないからである。ビンデルが「法的主體は理性的本體としてのそれの特性における人間であり、………彼がこのようなものとして認められるのは、法秩序が彼の意思と見識に志向するからであって………」というが、法秩序のこのような志向において法規範があるのではないのか。ビンデルのいう「共同體の生活意思」は、單に法規につきるのではなく、法規に現象しながら、法規を越えて生成するものではないのか。法規と區別される法規範の生成が、このようなことのうちに、すでにビンデルによっても、認められていたはずなのである。しかも、彼は依然として法規と法規範を同視した、というよりも、法規と別な法規範を否定しようとしたのである。ビンデルが法規の效力の根據を、メカニックな必然性でもなく、對象的正當性でもなくして、もっぱら、その貫徹可能性(Durchsetzbarkeit)にあるとしたとき、それが單純な貫徹(Durchsetzung)の事實ではなく、貫徹、可能性(Durchsetz-barkeit)であることも、注意されなければならない。「法規範」が「理性本體としてのその特性における人間」の「意思と見識に志向し」ながら、そのひとびとの社會生活のなかにみずからを貫徹しうるためには、たとえ法が外面的・他律的規範であるとしても、理念的正當性を缺くことができないであろう。(三一)したがって、それは單純な貫徹の事實を越えなければならず、そのことは同時に、法と法規との區別およびその關係を示唆することでもある。

(一) Julius Binder, Rechtsnorm und Rechtspflicht, 1912 ; Der Adressat der Rechtsnorm und seine Verpflichtung, 1927.
(二) Thon, Rechtsnorm, S. 2 ; Bierling, Jur. Prinzipienlehre, I, S. 48 ; Schuppe, Begr. des subj. Rechts, S. 22 ff.
(三) Binder, Rechtsnorm und Rechtspflicht, S. 2 f.
(四) Binder, a. a. O. SS. 4—10.
(五) Binder, a. a. O. S. 11.
(六) Binder, a. a. O. SS. 12—15.
(七) Binder, a. a. O. SS. 16—27.
(八) Binder, a. a. O. S. 28 f. S. 38.
(九) Binder, a. a. O. S. 39, S. 44 f.
(一〇) Binder, a. a. O. S. 46, S. 47.
(一一) Binder, Der Adressat der Rechtsnorm und seine Verpflichtung, S. 8.
(一二) Binder, Adressat, S. 85 f.
(一三) Binder, Rechtsnorm und Rechtspflicht, S. 47 ff. ; Der Adressat der Rechtsnorm, S. 73.
(一四) Binder, Der Adressat der Rechtsnorm, S. 3.
(一五) Binder, Rechtsnorm und Rechtspflicht, S. 24, Not.

（一六） Binder, Der Adressat der Rechtsnorm, S. 55.
（一七） a. a. O. S. 62.
（一八） Binder, Der Adressat der Rechtsnorm, S. 25.
（一九） Binder, Rechtsnorm und Rechtspflicht, S. 28.
（二〇） Binder, Der Adressat der Rechtsnorm, S. 3 ff.
（二一） ビンデルはその著「法哲學」(Rechtsphilosophie, 1925, S. 212 ff. S. 410 ff. S. 917)では、このような見解を展開している。

五 デュギーにおける規範的法と技術的法

一 法を法規と區別し、法規を法の現象形態と見ることに關して、デュギーの所説はわたくしにとって、最も教示に富むものである。デュギーが「規範的法の法則」(règle de droit normative)と「構成的または技術的法の法則」(règle de droit constructive ou technique)とを明確に區別したことは有名である。（一）

デュギーによれば、規範的法の法則または法的規範(norme juridique)は、社會に生活するすべてのひとに對して一定の作爲または不作爲を要求する法則であり、一定の行態を命じ、または禁ずる命令である。しかし、それが命令であるとはいっても、そこに何ら優位の意思と劣位の意思との關係を前提とする優位の意思の劣位の意思に對する指圖を意味するのではなく、社會的團體の成員であるすべての個人に必然的に存在する社會的狀態を意味するものであることを、デュギーはとくに強くことわっている。法的規範は社會生活の條件であり、各個人は明暗の度合に差はあっても、この規範について意識している。たとえ、どのように素樸であっても、もし彼がそれを遵守しなければ全社會が彼に對して反應するであろうこと、社會的團體がその規範の執行を直接または間接に保障していること、それについて各人が知り、少くとも、直觀している。したがって、法的規範は社會における各人が多かれ少かれ直接的に承知し理解している規範であり、これに對して、この法的規範の執行を直接または間接に保障するための法則が、構成的または技術的法の法則である。〔二〕

したがって、デュギーの構成的または技術的法の法則は、法的規範の遵守およびその適用を保障するために設けられる第二次的法則である。デュギーによれば、この技術的法によって一定の準則が定立され、一定の手續が定められ、一定の權限が確立されるが、これによって、法的規範を保障するための「法の道」(voies de droit) が設定されることになる。「法の道」は統治者をして法の實現を强制的に遂行させることを目ざし、その手段方法と手續を定め、彼の干渉しうるための要件、彼の爲した裁決の效力、および效果を定めるものであって、そのゆえに、多かれ少かれ組織されており、したがって、成文化されることが多い。〔三〕

このように、技術的法は「法の道」を定めるものとして、畢竟、强制の組織的法則 (la règle organique de la contrainte) であり、したがって、特定の社會團體の内部において、强制力の獨占が成立することを前提とし、したがってまた、國家の成立を前提する。强制の獨占がなければ國家はなく、この獨占が成立するとともに國家が成立するが、技術的法は、このゆえに、國家を前提する。この點において、國家と無關係に國家以前的にも社會におけるひとびとの意識狀態にもとづいておのずから成立する規範的法とは異る。そして、技術的法が義務づけの效力をもつためには、すべてその背後に規範的法が存在しなければならず、技術的法は規範的法の遵守と適用を保障することを使命とし、その限りにおいて、義務づけの效力をもつのである。規範的法が第一次的法として、それみずからの存立において、すでにこの效力を具えながら成立するのとは異るのである。(四)

二 デュギーによれば、「汝が他者によって害されるのでない限り、その他者を害してはならない」というようなことは、社會に生活する各人に要求される法的規範であって、單に道德の法則であるだけではない。社會に生活する各人はすべて他人の生命を尊重することが社會生活の基本的條件として絕對に必要であることを知っており、「人を殺すべからず」という法則が何らかの强制的な恆常的手段によって保障されなければならないことをも、理解している。それは、ひとびとのこのような意識狀態にもとづいて、法的規範となるのである。したがって、このような規範は、刑法典のなかに規定され成文化される以前に、すでに法的規範であったのであり、近代法典の多くのものは、それを直接明示的に規定していないが、暗默のうちに前提している。それらの法典の規定は單にこの法的規範の違反を制裁するための、多かれ少かれ明確な手續や要件を規定しているだけである。したがって、近代の刑法典のなかにかかげられているすべての規定および刑事制度は、刑法規範の遵守を保障するために定められた技術的法の規定である。刑法規範そのものは成文刑法典の規定の背後に隱されながら、それによって前提されている。(五) デュギーのこの點に關する敍述はビンヂンクのそれと同工異曲であることが注意されるであろう。

同様の趣旨でデュギーは民事法についても言及している。彼によれば、ナポレオン法典における財産法についていえば、そこには三つの法規範が前提されている。契約の自由と私有財産の尊重と過失責任の原則の三つである。ナポレオン法典の財産法に關する規定のすべては、これらの法規範を現實的に保障するために組織された技術的法の規定であって、結局は、こられ三つの法規範の實現を保障することを目的とし、これらの法規範にもとづいて拘束力をもつものである。〔六〕

さらにデュギーは、現代法典の大部分の規定が、多かれ少かれ發達した政治的組織規定をもふくめる技術的法の規定から成立しているが、それらの規定は、眞實には、統治者またはその代理人を宛名人としているものである、としている。したがって、デュギーにとって、規範的法または法規範は社會に生活する一般のひとびとに直接に妥當するものであり、第一次的に行爲規範であるが、これに反して、技術的法は統治者またはその代理人に宛てられ、直接に一般のひとびとに宛てられたものではなく、したがって、いわゆる裁判規範または適用規範と呼ばれる部類に屬するものと、いうことができるであろう。〔七〕われわれは、そこにデュギーとエム・エー・マイヤーおよびイェリングとの近似を見ることができる。

三 デュギーによれば、一定の社會團體内に統治者と被統治者との分化が生じたときにおいても、一定の社會規範が法規範にまで轉化するためにも、その社會規範が統治者によって制定されることも承認されることも、必要ではない。ただ、社會における「大衆の精神」(la masse des esprits)が、この社會規範の違反に對する制裁が統治者の掌握する權力によって、保障されなければならないというサンチマンをいだくことをもって充分である。實定法規の內容が立法によって成文化されたよりもはるか以前に、すでに法規範が法規範として成立していたのであり、ひとびとが統治者に對して法典の編纂を要求したよりもはるか以前に、すでに一定の規範法則の違反に對する制裁が規律的に恆常的な手段をもって、保障されることを要求していたのである。司法的機能が立法的機能よりもはるかに早く、社會のなかに現われたのである。したがって、社會規範が國家または統治者によって承認され許容され成文化されたときにはじめて法規範になる、というべきではない。むしろ、一定の社會規範を保障するために、その違反者を處罰するために、違反行爲を抑制するために、違反行爲によって生じた社會的不秩序をできるだけ回復するために、それらのいずれかのために、國家または統治者が一定の恆常的な且つ規律的な手段をもって干渉すべきである、という意識、必ずしも明確ではないが、そのような意識が大衆の精神のうちに生じたときに、一定の社會規範が法規範になったのである。(八)一定の社會團體を形成する「個人大衆の意識」(la conscience de la masse des individus)にもとづいて、すでに法規範として成立していた規範法則を再形成したのでない限りは、統治者の制定した規定といえども法規(la loi)ではない。今日の社會においても法規範を成立せしめるものは、立法者による制定ではなく、この規範法則が國家または統治者によって實定的な且つ組織的な制裁をもって保障されなければならない、という「個人大衆の意識」である。實定法規のなかに規定されながら、なおいまだ法規範でないものがあり、法規範でありながら、なおいまだ實定法規のなかに全く規定されないものもある。いまだ法規範でない法則を形成した法規は impuissant であり、これを組織した「法の道」は inutile であるにとどまる。いまだ法規がそれについて何ら規定せず、制裁の方法が組織されない以前に法的規範となった社會規範は、「規律的に組織された法の道」によって保障されていないが、しかも、それの侵害は何らかの社會的反動を招來し、やがて、立法者がこれに關與せざるをえないことになるのである。(九)

マイヤーの法規範は、國家の行う文化批判として、本質的には國家の規範であるのに對して、彼の文化規範は、社會の行う文化批判として、文化社會の規範であった。デュギーの法規範はマイヤーの文化規範に通ずる性格をもっているが、より多く近似するものとしてわれわれの連想を呼ぶのは、ザヴィニー・プフタの歴史法學派の「民族法」(Volksrecht) である。歴史法學派にとって、法は本質的に民族法であり、歴史的民族生活においてその成員各個に共有される民族精神にもとづいて、おのずからに生成するものであった。(一〇)デュギーの法規範も、社會における「個人大衆の意識の狀態」(l'état de conscience de la masse des individus) において法規範として生成するのであり、そのような「意識の狀態」をその「創造的源泉」(la source créatrice du droit) とするものであった。(一一)そのような法規範が技術的法と嚴に區別されたのである。

四　デュギーは規範的法と技術的法との區別について詳細に論じているが、わたくしにとってとくに示唆を覺えるのは、規範的法が成文法規のなかにおおむね直接に表現されず、その背後に隱されながら、それによって前提され、それの根柢であるということである。成文法規の大部分をしめるものは、技術的法を表現する規定であり、それは單に訴訟法その他の手續法だけにとどまらない。現今の法典のほとんどすべての規定が、技術的法を表現するものであるとともに、他面において、彼のいわゆる規範的法は、法典の規定に直接に表現されているのははなはだ稀れであり、そのおおむねは成文法規によって前提されながら、しかも、規定の背後に隱されているのである。そして、このような規範的法の實現を保障することが、技術的法の目的であり使命である。このように見てくれば、デュギーのいわゆる規範的法は、一般に「立法精神」と呼ばれ、あるいは「法の指導原理」と呼ばれるものに通ずることが見いだされる。ことにデュギーがナポレオン法典の財産法について指摘した三つの規範的法、すなわち、契約の自由と私的所有權の尊重と過失責任の原則は、一般に「近代私法の指導原理」と呼ばれてきたものにほかならない。デュギーにおいて、これを理念としてではなく、あくまでも實證的に把捉しようとしたことが注意されるとともに、「立法精神」や「指導原理」がそのようなものとして理念的に把捉されずに、「規範的法」とし把捉されたところに、深い示唆のあることを覺える。「立法精神」とか「指導原理」と呼ばれるに値いするものが、デュギーにとって、まさに法規範にほかならなかったのである。

五　なお、デュギーは歴史法學派と同樣に、慣習と法學と法規とを、「法規範が觀察者に對して現われる態樣」(la manière dontelle apparait à l'observateur) として、したがって、法規範の現象形態としてあげ、そのゆえに、それらのものは「法の法則の認識手段」(les modes de constatation de la règle de droit) であるとしている(二二)。

ここでは、とくに法の現象形態としての、したがってまた、法の認識手段としての法規に關してデュギーの指摘しているところを紹介しておく。デュギーによれば、一定の規範的法則がなおいまだ法規にまで規定されない以前にも、その規範的法則の違反行爲があったときに、その規範的法則がひとびとの精神のなかに、多かれ少かれ明確に現われる。一般普通のひとびとよりも明晰な精神をもつ者は、逸早くそれを認識し、そのような先覺的精神の影響のもとに、一般大衆の意識におけるこの觀念の形成が、一層強く促進されることもある。しかし、これを大衆に眞に理解させるものは、却ってその規範法則の違反行爲である。違反行爲の反復がひとびとの精神にそのような違反行爲を抑制する規範の存在を自覺させ、それが實定法規の制定を促すのである。しかも、その實定法規は規範を創造するのではなく、既成の規範を成文化し、編纂するだけである。法典の規定は立法者または統治者によって制定される。立法者または統治者のこの權能は政治的分化の結果であるが、この分化は多種多様な條件のもとに發生するであろう。しかし、いずれにしても、それは大衆の精神が他のいかなる個人にも屬しない一定の特性を、立法者または統治者に歸屬させ承認しつづけるのでなければ、維持されることができない。このゆえに、立法者または統治者は特別に强力に一般の世論に對して關心をもつ。近代の民主的社會においては、統治者の權力は、明確にせよ不明確にせよ、多數者を代表する者に歸屬する。そして、法規はいわば世論の表現である。法規と世論の間に必ずしも完全な適合一致がない場合があるとしても、法規の制定者である議會が世論に對して密接な關係をもつことは事實である。議會と世論の間に作用と反作用の連續的關係があることは、法典の規定が大衆の精神によって受容されることを促進するゆえんでもある。實際に、立法機關が何であると、世論を表現する方法が何であるとを問わず、世論と立法との間には連續的な滲透關係があるのである。(一三)

六　最後に、デュギーが法規を、法律家にとって一つの典據 (un document) であり、裁判官にとって一つの制約 (un limite) である、といったことを注意したい。

デュギーによれば、法規をもって直ちに法規範とすることは不當である。むしろ、あらゆる批判的方法によって何が眞に法規範であるかを探究すべきであり、公布された法規が現實に法規範をよく表現しているかどうか、それが法規範との適合において正しく構成的法の法則を制定しているかどうかを、全く獨自に探究すべきである。一國の立法機關に發する法典の規定が直ちに法規範であり、それに對して法律家は文句なしに從わなければならないというのが、今日なお多くのひとびとのいだく見解であるが、もしそうであるとすれば、法學の研究は全く技術的操作の仕事であるにすぎないであろう。法規は法律家にとって、一つの典據であり、それ以上の何ものでもない。いいかえれば、法規は一定の社會團體內において强行されるべき法規範について、また、それを發動させるためのよりよき技術的手續について、爲さるべき探究のための一つの手段である。このようにして、法規は法律家にとって、貴重な典據であるが、しかし、典據以上のものではない。(一四)

他方において、法規は裁判官や行政官にとって一つの制約である。ある事項について法規が何ら明示していないとき、または、それが不明瞭であるとき、裁判官や行政官には、かなりに大きい自由裁量の餘地が委されることになる。しかし、法規に規定されてある限りは、彼らはその活動においてこれに制約される。彼らは法規の規定に反しては何ごとをも為しえないのであり、この意味において、彼らは立法者に從屬している。これが近代精神の到達した理念であるが、それは統治者の專斷に對するよき保障手段である、という一般的サンチマンにもとづき、これに支えられていたのである。しかし、法規の規定が、これをもってひとびとが裁判官や行政官に對する制約として强要されるべきものとはもはや認められないほど明かに、時代の法意識に矛盾し背反することもあるであろう。それが法規によってあたえられている規定であるという口實のもとに裁決する裁判官や行政官は、その裁決が非現實的であり、もはや實效性を有しないであろうことを知らなければならない。このようにして、法規はそのままに存續しながら、實效性を失い、無用のものとして脱落してゆくこともある。(一五)

實際に、法規範が法典の規定の背後において獨自に生成することは、デュギーの指摘しているように、過失責任主義から無過失責任主義への發展過程においても、見いだされることである。責任に關する法規範は、ナポレオン法典の第一三八二條の規定以來、諸國の法典のなかに規定されてきた。長い間、法意識は過失責任の原則にとどまった。しかるに、經濟的變化、ことに、資本の集中と企業の大規模化のもとに、責任に關する傳統的法規範が、もはや不充分であること、個人または團體によって生ぜしめられた損害も、過失の有無にかかわりなく賠償せしめられなければならない、ということについての一般的サンチマンが生じた。このようにして、過失責任に關する舊來の規定と相並行して、新たな法規範が生じた。これを生ぜしめたものは、法學またはその個々の理論である、といってはならない。法學はこのような一般的意識の狀態を敏感に感受して、これを認識し明確に理論構成しただけである。また、過失責任に關する法規の規定が依然として存續していたにもかかわらず、そのことは、危險責任に關する新たな法規範の出現を、少しも妨げなかった。のみならず、法規そのものがある特定の場合について、危險責任の法則を認め、規定した。しかし、この法則は立法の關與する以前にすでに法的效力をもっていたのである。したがって、立法によってはじめて生じたのでもなければ、法學によってはじめて形成されたのでもなく、それみずから獨自に生成していたものを、立法および法學が確認し、立法はこれを成文化し、法學はこれを理論構成したのである。（一六）

このようにして、近代社會において立法活動の非常な發達にもかかわらず、法規範と法規との間、客觀的法と立法的法（droit législatif）との間に、必ずしも充分な一致はない。そこでデュギーはいっている「われわれは、法規（loi）は法（droit）でありえず、少くとも、法の全部ではありえないことを、記憶しなければならない（一七）」と。

（一）Léon Duguit, Traité de droit constitutionnel, 2e éd. Tome 1er, 1921 ; L'État, le droit objectif et la loi positive, 1901. なお、拙稿「デュギーにおける法の概念」（早稲田法学第二四巻）参照。

（二）Duguit, Traité de droit constitutionnel, p. 37 et suiv. ; L'État, le droit objectif et la loi positive, p. 551 et suiv.

（三）op. cit. p. 38.

（四）op. cit. p. 39.

（五）op. cit. p. 40.

（六）op. cit. p. 40 et suiv.

(七) op. cit. p. 41.
(八) op. cit. p. 43.
(九) op. cit. p. 43 et suiv. p. 36. p. 45 et suiv.
(一〇) 拙稿「歴史法学派における法源論」(早稲田法学第二二巻) 参照。
(一一) Duguit, op. cit. p. 46.
(一二) Duguit, op. cit. 72 et suiv.
(一三) op. cit. p. 90 et suiv.
(一四) op. cit. p. 91.
(一五) op. cit. p. 92 et suiv.
(一六) op. cit. p. 95.
(一七) op. cit. p. 98.

六 むすび

法と法規の問題に關連して、法規の命令性の問題、それの宛名人の問題、それとの關連において、法規が行爲規範か裁判規範かの問題、などについてなお若干検討しなければならないが、ここには省略する。ただ、ここにそれらの問題に對するわたくしの考えを一言つけ加えて、本稿のむすびに代えたい。

近代の法典は、なるほど、その形式にもとづいて見れば、何ら命令ではなく、單純な假言的判斷命題である。しかし、ビンデルも指摘したように、それの形式ではなく、それの實質的意義に着眼しなければならないとすれば、法規は命令である。法規の文章形式は假言的判斷形式のそれであっても、法規は單に立法者の判斷を表現するにとどまるものではなく、意思の表現であり、單純なる文章ではなく、法規であるからである。しかし、その命令の本質は「法を認識し適用するに際しては、これに據るべし」ということにある。このゆえに、法規は、デュギーの指摘するように、法律家にとって「一つの典據」であり、法の適用者、運用者にとって「一つの制約」である。法規が國家權力の行使に對する制約であることは、ビンデルも指摘したところであるが、立法の發達は實際に國家權力の恣意による行使の制約としてであったのである。

法規がこのような命令であるとすれば、その宛名人は法の適用者、運用者、すなわち、裁判官および行政官である。すでにホッブスが、法規に人民に宛てられたものと裁判官に宛てられたものとあることを指摘したが、ビンヂンクは法規の命令性を否定して、これを「授權規定」または「肯定規定」とし、イェリング、エム・エー・マイヤー、ビンデルは、いずれも裁判官に宛てられたものと見、デュギーもこれにしたがった。ただ、イェリングおよびマイヤーが、法規の「内的作用」と「外的作用」とを區別して、内的作用において裁判官に、外的作用において人民に妥當することを說いたように、また、ビンデルが日常の對話においてもしばしば「あるひとに語りながら、他のひとを考える」ことを指摘して、法規の形式的側面と實質的側面とを區別したように、法規は直接には裁判官や行政官にむかって語りながら、現實的には人民にむかっても語る、という機能をもつことを否定することができない。したがって、法規は第一次的には裁判官に、第二次的には人民にも、宛てられているといわなければならない。しかし、その際にも、法規が法認識のための典據であり、それ以上のものではないことに、留意しなければならない。法を認識するには、人民も法規に據らなければならない。しかし、裁判官や行政官のように、それに據るべきことを義務づけられていないことにおいて、法規の命令の固有の宛名人は人民ではない、といわなければならない。

法規は裁判官に宛てられた命令であるから、裁判規範であるといわれる。いうまでもなく、裁判は法の適用において行われる。しかし、法規の適用においてではない。裁判官は法を適用するために、適用すべき法を認識しなければならず、法を認識するために法規を典據としなければならない。裁判官にとって、法規は法認識のために據らなければならない權威的典據であるが、それ以上ではない。裁判法規をそのような意味において裁判規範と呼ぶことは、一應承認されるが、それ以上の意味をもつ限りにおいては首肯することができない。デュギーのいうように、法規は典據であり制約であって、それ以上ではない。このゆえに、わたくしは法規を裁判規範と呼ぶことを、むしろ、避けたい。

他面において、法は社會規範の一つとして社會におけるひとびとの行爲規範であるとともに、行爲規範であるがゆえにこそ、また、評價規範でもある。行爲規範でなくしては、評價規範であることはできないであろう。社會規範はすべてその本質において行爲規範であるが、そのゆえに、評價規範でもある。ただ、法の場合は、その評價は單なる評價ではなく裁判である。裁判官は法を認識し、法を適用することにおいて裁判を行うのである。裁判において法の評價規範的機能が具體化するものと、いうべきであるであろう。

この意味においては、法は行爲規範であるとともに裁判規範でもある。法規はこのような法の現象形態であり、現象形態として法認識の典據である。そして、近代的立法技術が、すでにビンヂンクも指摘したように、法の行爲規範的側面をではなく、裁判規範的側面をのみ表示するのが通例となっているだけである。近代的法規はその文章形式において假言的判斷命題であり、前提（要件）命題と效果命題の複合からなっているのが通例であるが、それは法の裁判規範的側面を表示する近代的法文形式である。法規は法の現象形態であるという場合に、とくに、法の裁判規範的側面を表示していることを注意しなければならない。わたくしは、このような考慮からも、法と法規を區別し、法規を法の現象形態、したがって、法認識の典據であると考えるとともに、法規をもって裁判規範とすることに贊成せず、近代的法規が法の裁判規範的側面を表示することを通例としていることを、指摘しておきたい。（一）

（一）　法の裁判規範的側面と法規に關しては、拙著「法學序說」第二章第七節を參照されたい。

第二章　シェーンフェルトにおける法の實定性と正當性

一　はしがき

シェーンフェルトによれば、(一)法はすべて實定法であり、自然法や理性法はないが、しかし、「法の理性」(Rechtsvernunft) はあり、「實定法のアプリオリ」(das Apriori des positiven Rechts) はなければならない。すべて法が現實の法として一般に可能であるためには、それの充足しなければならない條件の體系がある。したがって、實定法において餘すところなく實定的であるのではない。もちろん、實定法におけるこの非實定的アプリオリは、單に「法の可能性」(Möglichkeit des Rechts)であり、そのゆえに、それ自體は實踐の法則ではなく、したがって、法ではない。自然法はこの點を誤った。このアプリオリは、「可想性における法的者」(das Rechtliche in seiner Denkbarkeit)であり、法論理(Rechtslogik)であり、理論的法則であって、實踐的法則ではなく、何ら義務づけの要求をもたない。しかし、それはすべての實定法が、過去のものたると現在のものたると將來のものたるとを問わず、法である限りは、それに服さなければならないところの「法的者の眞理(die Wahrheit des Rechtlichen)である。ライナッハがしばしば主張したように、(二) 實定法は決して「法眞理」(Rechts-wahrheit)から解放されてあることができない。けだし、現實の法としての實定法は、同時につねに、一つの可能の法であり、したがって、法理性のなかに含まれていなければならないからである。もちろん、法的アプリオリも、他のすべてのそれと同様に、經驗から生ずるものではないが、經驗においてのみ把捉されるものであることは、いうまでもない。

なお、シェーンフェルトはつぎのようにもいっている。(三) 實證主義にとっては法は法なるがゆえに法であるとすれば、それは法がそれ自身の根據をそれ自身のうちにもつことであり、そして、自らの根據を自らのうちにもつものは絶對的者にほかならないから、實證主義は絶對主義に墮することになる。「實證主義はまさにそれが相對主義であるがゆえに絶對的者を否定しながら、そのゆえに却って、相對的者・歴史的者を絶對化し、また、絶對化しなければならなかった」。相對主義は相對的者を絶對化し、絶對主義はこれを絶對的者から捨象して無視する。前者は歴史の條件を無視することによって歴史を誤り、後者は歴史を無視することによって、歴史の條件を過大視する。實證主義では法的者が、自然法では實定的者が、おしのけられる。兩者は敵對的でありながら、しかも、兄弟である。しかし、制約と被制約者とは相互にひきはなされることができず、各個に絶對化されることができない。實證主義にとって法は法なるがゆえに法であるとすれば、「それは實定法の認識ではなく、むしろ、法における實定的者の認識であり、このゆえに、それは法認識ではなく、むしろ、法規認識である」。

法はすべて實定法であり、實定性を缺くことができないが、それとともに、正當性をも缺くことができない。實定法とは現實の法のことであり、法の實定性とは法の現實性のことにほかならないが、すべて現實は一つの制約された可能性であって、可能性一般ではないから、法の實定性は一つの制約された法可能性として、法可能性一般または法理性のなかにふくまれていなければならない。そこでシェーンフェルトにとって「實定性は實定化された法理性である」(四)ということになる。ともに、法には實定化すべき法理性が無終の課題として課せられているから、「法であるということ」(das Recht-sein)は、單に與えられていることではなく、課せられていることであり、そのゆえに、「法であることとは、正義と呼ばれる良き裁判の理念としてのエトスにみちびかれながら、法への道にあることである。正義の理念なくして法はない」(五)ということになる。また、このゆえに彼にとって、法は單に存在でも、單に當爲でもなく、要請されるものとして當爲に關係し、在るものとして存在に關係する。「それは正的者である限りにおいて當爲(Gesolltes)であり、實定的者である限りにおいて存在(Seiendes)である。それはその正當性またはその實定性、その規範的側面またはその社會的側面、のいずれが强調されるかに應じて、存在する當爲(seiendes Gesolltes)であるとともに、當爲的存在(gesolltes Seiendes)であり、そこに、法がすべての現實的者と同様に複合的であり、單に一面をのみではなく、二面をもつことが、示されている」(六)と彼はいう。彼にとって、法は法の理性または法理念の現實であり、「すべての實定法は、たとえいかに地上的であっても、時間と空間における正義であり、そこからそれの品位が由來する」(七)のであり、このゆえに、實定法は純粋の當爲ではなく(八)、「僕の姿における正義(Gerechtigkeit in Knechtsgestalt)であり、このゆえに、その正義はこのわれわれの時代のあらゆる缺陷と、終極においては死滅にもまた、曝されている」のであるとともに、このゆえに、正義は實定法にとって、單に與えられているのではなく、これを求め見いだすべく課せられているのである。(九)

このようにして、法は「實定性と規範性との必然的統一」(一〇)であり、「實定化された法の理性」であり、「時間と空間における正義」、「僕の姿における正義」であるとすれば、一面において、法の正當性は絶對的ではなく相對的であり、法學は形式論理的でなく實體論理的またはイデオロギッシュでなければならないが、他面において、「實定法において決してすべてが實定的であるのではない」(一一)のであり、このゆえに彼にとって、法の實定性がそれの"Positiva"の意味において、したがって、その感覺的材料的意味において解される限りにおいては、そもそも「實定法」と呼ぶこと自體が排斥されなければならない。法は自然法でも理性法でもないと同様に、その意味においては實定法でもなく、その最も深い本質において一般に實定的ではないのである。(一二) 彼はいう「法の材料は實定的であるが、法そのものは實定的ではない(一三)」と。法は意味であり精神であるが、精神は現象に現われるとき實定的でもあるが、その本質において決して實定的ではない。(一四) 法はその本質上歴史的であるが、實定的ではない。(一五) このゆえに、法の歴史性はまさに「實定法」を語ることを排除する。(一六) とともに、他面において「何が現實と眞理において法であるか、何を法が寄與することができ、寄與すべきであるか、を知ろうとする者は、事實の地盤に立ちとどまることを許されない(一七)」のであり、また、このゆえに「實證主義にとって、法は法であるがゆえに法であるとすれば、それはこの要求の根據に對するあらゆる問題を放棄するものであり、したがって、それは實定法の認識ではなく、むしろ、法における實定的者の認識であることが明かである。このゆえに、實證主義は法認識ではなく、法規認識であり、このゆえに、それは技術的意味におけるすべての法規を無批判に法と見る。實證主義は無批判的、自然法は非實定的、したがって、その兩者とも法學ではない(一八)」ということになる。

　このようにして、シェーンフェルトにとって、法の實定性は "Positiva" において、したがって、感覺的・材料的意味において理解されるべきではなく、"Postivität" において理解されるべきことであり、そのゆえに、實定法も實定性とともに正當性を缺くことができない。いいかえれば、法においては、その實定性のうちにも正當性が、その正當性のうちにも實定性が、滲透し制約をなしている。そのゆえに、法はその實定性においても單なる存在ではなくて「當爲的存在」であり、その正當性においても單なる當爲ではなくて「存在する當爲」であるとともに、その正當性は絕對的ではなく相對的であり、「時間と空間における正義」として、歷史的であり、したがって、イデオローギッシュである、ということになる。

しかしながら、シエーンフエルトにとって、歷史的現實のすべてを相對化することは、何らか絕對的者の前提のもとにのみ可能である。このゆえに、いわゆる相對主義は、いわゆる絕對主義とともに、排除されなければならない。實證主義は、絕對的者を否定して相對主義であるがゆえに、却って、相對的者また歷史的者を絕對化しなければならず、このゆえに、それはその對極である自然法の法的絕對主義と正反對の、しかし、同一の誤謬に墮することになる、というのである。彼にとって「相對的者または實定的者は絕對的者のなかに屬し、しかも、それと合致することはない。けだし、實定的者は一つの可能性ではあるが、可能性一般ではないから」である。このようにして、彼にとって、相對的な法の正當性または法の理性は、普遍的ロゴスのうちにもとづき、それに底礎されなければならないのである。(一九)

（一）W. Schönfeld, Die logische Struktur der Rechtsordnung, 1927, S. 37 f.

（二）Reinach, Die apriorischen Grundlagen des Bürgerlichen Rechts, Jahrb. f. Philosophie u. phänomenologische Forschung, Bd. I, 1913, S. 174, 315 ff.

（三）Schönfeld, a. a. O. S. 39.

（四）Schönfeld, a. a. O. S. 45.

（五）a. a. O. S. 42.

(六) a. a. O. S. 65.
(七) Schönfeld, Ueber den Begriff einer dialektischen Jurisprudenz, 1929, S. 12
(八) a. a. O. S. 7.
(九) a. a. O. S. 13.
(一〇) Ueber den Begriff einer dialektischen Jurisprudenz, S. 17.
(一一) Die logische Struktur der Rechtsordnung, S. 37.
(一二) Von der Rechtserkenntnis, 1931, S. 49.
(一三) a. a. O. S. 50.
(一四) a. a. O. S. 53.
(一五) a. a. O. S. 56.
(一六) a. a. O. S. 53.
(一七) a. a. O. S. 62.
(一八) Die logische Struktur, S. 39.
(一九) Die logische Struktur, S. 39.

二　法の實定性と法の現實

シェーンフェルトにとつて、法の實定性とは法の現實性（Wirklichkeit）にほかならない。彼によれば(一)、現實的者（das Wirkliche）は「可能的者によつて可能化された他者」（das andere, vom Möglichen Ermöglichte）であり、一つの可能的者（ein Mögliche）である。そうでなければ、それは現實的者でもありえなかつたから。しかし、それは單に可能的であるのみならず、現實的でもある。したがって、可能的者は現實的者の條件である。現實的者は「制約された可能的者」(das bedingte Mögliche) として、つねに一つの可能的者 (ein Mögliche) でのみあり、決して可能的者一般 (das Mögliche) ではない。このゆえに、現實性は可能性一般の制約された他者として、一つの可能性であり、そのようなものとして事實性 (Tatsächlichkeit oder Faktizität) であり、行または定立 (Tat oder Setzung) のことがらであるが、可能性として現實を制約し、または、底礎しない可能性はなく、現實として可能性によって制約され、または、底礎されない現實はない。現實的者は一つの可能的者であるが、可能的者一般ではなく、むしろ、可能的者一般のうちに含まれる個別的可能的者 (das besondere Mögliche) である。しかし、同時にそれは、まさに一つの可能的者の現實的者、(das Wirkliche eines Nurmöglichen) であるがゆえに、可能的者一般の他者であり、このゆえに、單純可能的者 (das Nurmögliche) のうちには含まれない。それは可能的者一般とは異って、抽象的ではなく具體的であり、個性的・一回的・唯一的者であり、このようなものとして、經驗の思惟的直觀にのみ通路をもつ。このゆえに、ランケはつぎのようにいった。「飛躍なしには、新たな發端なしには、ひとは一般的者から個別的者へ到達することができない。豫期しないオリヂナリテートをもって汝の眼前に突如出現する現實精神的者 (das Real-Geistige) は、どのような高次の原理からも、これをみちびきだすことができない。汝は愼重に且つ大膽に、個別的者から一般的者に昇ることができる。しかし、一般的理說からは個別的者の觀照への、どのような通路もない」(二)。

しかしながら、可能性と現實性との對立は、相互排他的・絕對的ではなく、相互制約的・相對的である。同様のことは、一般的と個別的、抽象的と具體的、などの概念對立についても認められるであろう。抽象的者そのもの、一般的者そのものはなく、つねに、具體的者の抽象的者、個別的者の一般的者のみ、または、その逆のみが認められる。一方はつねに他方によって制約されている。いいかえれば、抽象性と具體性、一般性と個別性の度合があり、この度合または關係點の秩序が、現實性と可能性の體系をなしている。そうであるとすれば、個性的・一回的・唯一的者についても、同様のことが認められなければならない。個性的者は、つねに同時に、非個性的、したがって、普遍的でもある。あるのはつねに現實的者の個性の度合である。このゆえに、現實的に考えるということは、現實的者において個性的者と普遍的者を考えることであり、すべての現實認識は、不可避的にこの兩極の間に緊張する。いずれか一方により多く傾くことはあるが、排他的に一方にのみむかうことはない。しかし、すべて現實的者は普遍的者の個性的な一つの場合（ein individueller Fall）であるが、これを「この場合」（dieser Fall）として見るか、「一つの場合」（ein Fall）として見るかは、相互に異ることである。「この場合」というときには、それにとって、且つ、それにとってのみ、本質的・且つ・典型的（wesenhaft und typisch）であるものに着眼し、「一つの場合」というときには、それと反對に、それよりほかのもの、その限りにおいて、それにとっての非本質的者・非典型的者に着眼している。いいかえれば、前者の場合には、一つの現實的者の個有性（Eigenart）が、後者の場合には、その種（Art）が目ざされ、前者では、典型（Typus）、オリヂナルなもの（das Original）、孤立的者（das Absonderliche）が焦點となり、後者では、種類（Spezies）、事例（das Examplar）、個別的者

(das Besondere)が焦點とされる。その際に、個有性または典型において同時に種類が考えられるが、種類において同時に個有性が考えられない。[三] このゆえに、すべての個有性は何らかの種をもつが、それが個有的となればなるほど、その種からはなれ、それみずから一つの種となるにいたる。

このような種と個有性との相對的關係にもとづいて、種觀察(Arbetrachtung)と個有性觀察(Eigenartbetrachtung)との根本的相異を見のがすことができない、とシェーンフェルトはいう。シェーンフェルトによれば、[四] 種觀察はまさに個有性觀察でないがゆえに、原則的に、個有型的者(das Eigen-typische)から反型的者(Atypische)へ、種からそれの條件の綜括としての類(Gattung)へ志向する。種觀察は現實認識であり、その限りにおいて個性觀察であるにかかわらず、しかも、一般化的普遍觀察(generalisierende Universalbetrachtung)である。これに反して、個有性觀察はまさに個有性觀察であるがゆえに、型的者(das Typische)を見まもり、決して一般化的普遍觀察に志向しない。もちろん、個有性觀察は一般化的ではないが、しかも、普遍觀察でもある。あたかも、種觀察も個性認識であるように。それは個性的者と普遍的者が相對的であるからだけではなく、個性的者が個有型的者として、一つの一般的型の特殊的者であるからである。それは個有性の度合によることであるが、このゆえに、一般化的普遍觀察のほかに、定型化的普遍觀察(typisierende Universalbetrachtung)もまたある。

さて、シェーンフェルトによれば、[五] 現實的者が可能的者の個別的者または他者として可能的者にもとづくとすれば、それについては「現實的なものは合理的である」という命題も、逆に、「現實的なものは不合理的である」という命題も、ともに妥當する。現實的者は絕對的・不合理的ではない。もしそうであれば、絕對的者から逸脫するから。しかし、また、絕對的・合理的でもありえない。もしそうであれば、それが絕對的者と合一することになるから。現實的者は相對的に合理的であり、したがって、同時に、相對的に不合理的である。この兩極の間に現實的者はうごくのであるが、それは、現實的者がそれ自體を越えて新たな第三者を求める運動である。現實的者は決して「純粹性」ではなく、つねに、分裂であり、つねに、それ自體の反對でもある。このゆえに、現實的者のあいだには絕對的對立はなく、つねに、相對的對立のみがある。現實的者はラヂカルな排他性を知らない。このゆえに、すべての現實的者を相對化することは、絕對的者を前提することであるが、また、對立にのみとどまる者は現實的者を充分に把捉せず、對象または方法の純粹性を求める者は現實の外に對象を求めることになる。けだし、絕對的意味における純粹性は、絕對的統一ではあるが、そこでは、現實的者の本質をなすものが、脫落するからである。現實的者も統一ではある。しかし、二元としての統一(Einheit als Zweiheit)であるという意味においてのみ、統一である。現實的者は形式的統一であるが、質量的統一ではない。したがって、相對的統一であり、その方法の相對的純粹性のうちにのみ、顯わにされる。現實論は必然的に二面論(Zweiseitentheorie)である。このゆえに、シェーンフェルトは、ケルゼンの純粹法學を排斥したカウフマンの主張に贊成している。(六)

このようにして、すべての現實的者が制約された一つの可能的者であり、そのゆえに、可能性一般に底礎されるとすれば、法の實定性もまた、法可能性または法理性(die Rechtsmöglichkeit oder

Rechtsvernunft）のうちにもとづき、それの制約された一つの可能性として、法現實である。そこでシェーンフェルトはいう「實定法は實定化された法理性である」と。(七) このゆえに、すべて實定法はその法理性の特別な態様をもち、このゆえに、イェリングは「ローマ法の精神」を探り、ウルリッヒ・シュトウッツは「カノン法の精神」を求めることができたが、このゆえに、すべての法は、それの把捉する精神にほかならない。

しかし、現實的者は單に可能的者の個別的者であるのみならず、可能的者の他者でもあるから、實定法もまた、なるほど、法理性ではあるが、しかしまた、法理性ではなく、それの他者でもある。すなわち、實定法はその實定性のゆえに、法秩序でもある。シェーンフェルトによれば、すべての法はその實定性のゆえに、法的者の種とともに、個有性をもつ。ローマ法、ゲルマン法、カノン法、そのほかの歴史的法は、法の概念を充足する限りにおいて、法的者の種であり、實定的である限りにおいて、法的者の個有性または型である。このゆえに、それらはその實定性においては、個有性觀察によってのみ認識され、決して種觀察によってではない。けだし、種觀察によっては、實定的者、法現實的者が脱落し、法的者、法可能的者のみがのこされるからである。(八)

他面において、實定法は秩序として、相互に區別される型的秩序であるのみならず、それ自體においても、型的者の秩序（Ordnung des Typischen）であり、型の體系（System der Typen）である。それは型の體系のなかにあるとともに、それ自體も型の一つの體系である。このゆえに、すべて法觀察は實定的であろうとする限り、決して純粋に一般化的であることができず、一般化的と關連しながら、つねに、定型化的に(typisierend) 行われなければならない。けだし、純粋な一般化のもとでは、型的者が脱落するからである。例えば、ローマ的所有とゲルマン的所有は、所有の種類ではなく、型である。所有は法的者の一つの種として、ゲルマン的所有またはローマ的所有の個有性において實現し、または、型化するのである。もちろん、所有は類概念でもあり、そのもとに動産所有や不動産所有の種概念が綜括される。契約の類概念に對する債權契約および物權契約の關係も、同様である。あたかも、樹木の類のもとに針葉樹や濶葉樹の種が包括されるように。種や類の體系は、個有性または型の體系ではない。しかし、それは型の體系の論理的條件であり、その論理的可能性である。可能性から現實をみちびきだすことができないように、われわれは、古き概念法學がやったように、種概念から個有性をひきだすことを許されない。それによって、個有的者はそれの個有性を、多かれ少かれ、ゆがめられるからである。個有的者は種類的者ではないから、決して一つの種に綜括されない。それは現實的者として、つねにそれの他者、または、他の側面をもつがゆえに、決して一つの種によって把捉されず、つねに、多くの種によってのみ把捉される。種と反對種(Art und Gegenart)とが、個有性のなかに、どのように相互に混在するかにしたがって、この複合の度合は多様である。この複合性は型の統一がほとんど破られるほどに大であることもあり、それがほとんど問題にならないほどに小であることもあるが、それが全くなくなることはない。そこでシェーンフェルトはつぎのようにいう。「法および法制度が、多かれ少かれ、複合的な型の體系であるとすれば、そして、その複合的な型が複合的であるがゆえに、純粋な法的種概念の體系に綜括されず、しかも、それによって制約されるがゆえにそれと相關的であるとすれば、それらの法や法制度の統一性の原理は、純粋論理的・形式論理的ではなく、實體論理的であり、しかも、イデオローギッシュである」（九）と。このゆえに、一定の實定法および實定法制度を一つの統一に保つものは、それのになう任務であり、理念である。これがなければ、それはその複合性のゆえに分裂しなければならず、その統一を保つことができない。このゆえに、實定法をその全體またはその部分において認識することは、それの型の理念を認識することであり、ビンデルも强調したように（一〇）、これと正反對を主張するケルゼンの純粋法學は不當である。このゆえに、實定法の學としての法學は、イデオローギッシュな、または、目的論理的な學問である。けだし、純論理的、すなわち、沒理念的または沒目的的觀察は、把捉すべき實定的者を破壞するからである、とシェーンフェルトはいう（一一）。

（一）Schönfeld, Die logische Struktur, S. 17 ff.
（二）Leopold v. Rankes politisches Gespräch mit einer Einführung von Friedrich Meinecke herausgegeben, 1924, S. 35.
（三）Theodor Litt, Erkenntnis und Leben, 1923, S. 70. 參照。
（四）Schönfeld, a. a. O. S. 21 f.
（五）Schönfeld, a. a. O. S. 22 f.
（六）Erich Kaufmann, Kritik der Neukantischen Rechtsphilosophie, 1921, bes. S. 66.
（七）Schönfeld, a. a. O. S. 45.
（八）Schönfeld, a. a. O. S. 45.
（九）Schönfeld, a. a. O. S. 47.

(一〇) Binder, Philosophie des Rechts, 1925, S. 176, S. 240 ff.
(一一) Schönfeld, a. a. O. S. 47.

三　法の實定性と法の定立

現實は制約された一つの可能性として、可能性一般に底礎されながら、しかも、その他者であり、そのようなものとして「行または定立」に關することであるが、そのようなものとして、現實は完了・停止ではなく、不斷の運動である。したがって、法の實定性も法の現實として、むしろ、法の實現のことがらでなければならない。しかも、その實現は一回の行爲によって完了することではなく、むしろ、不斷に進展する過程でなければならない。シェーンフェルトは、法の現實すなわち法の實定性をこのような法の實現過程と解し、しかも、段階的に進展する過程と解して、法定立と裁判と法强制を、法の實定性の段階的要素と見ている。したがって、彼にとってこれらのものは、實定法の必然的要因である。

まず、法定立（Rechtssetzung）について、彼は「法は立法による法則（Gesetz mit Gesetzgebung）であり、これによって道德とともに定立なくして在る倫理的法則から區別される」[一]といい、「法と實定法とが同一であるとすれば、それは定立されることによって實定法であり、定立性または實定性（Gesetzheit oder Positivität）はそれの現實性である」[二]といい、そして、「しかし、すべての現實は一つの可能性であって可能性一般ではなく、したがって、法の實定性も法可能性または法理性のうちに含まれる。實定法は實定化された法理性である」〔三〕といっている。

このようにしてシェーンフェルトによれば〔四〕、實定法が法理性の實定化された一態様であるとすれば、法定立または立法は法理性の實現であり、しかも、法理性を運動におくのは法理性自體よりほかの何ものでもないから、法理性の自己實現である。しかし、このような法定立または立法は、いわゆる立法者または立法機關の機關行爲としての立法と同一ではない。それは一回の行爲によって完了することではなく、多かれ少かれ相剋・摩擦をともなう長い過程において進展することである。このゆえに、シェーンフェルトにとって、慣習法はいわゆる立法行爲によって定立されるものでないにもかかわらず、やはり實定法であり、「立法による法」(Recht mit Gesetzgebung) である。他面において、制定法は、その立法行爲による定立にもかかわらず、慣習法である。けだし、それがあらゆる可能的な場合のために定立されている限り、なお法への道程において、その内容の完全な現實ではないからである。このゆえに、慣習法が立法であるように、制定法もまた慣習の潮流のなかに沈みこむのであり、法典もその歴史をもつのである。多くのものは紙上に變ることなく殘存しながら、言葉の背後でそれの意味を變えていくのであり、その間に新しいものが文字と文字の間にはいりこんでくるのである。どのような立法者もこの崩壞と更新の過程を阻止することができない。絶對の法はないから、永久不變の法はなく、法はその概念上「立法による法則」(Gesetz mit Gesetzgebung) であるから、歴史のなかで變轉する。法定立は決して機關行爲としての立法行爲による立法ではなく、制定法の制定でもなく、むしろ、瞬間から瞬間へ生成し進展する運動の過程である。法定立は決して停止しない。それは、むしろ、無終の課題であり理念である。「このゆえに、われわれはそれを理性の自己實現と呼んだ」とシェーンフェルトはいう。法規と慣習が一般に「法源」と呼ばれているが、それらはなおいまだ完全な現實という意味における法ではない。しかし、法理性の暗き胎内から流れでたものである限り、「法への源」(Quellen zum Recht)であり、その意味においてまさに「法源」である。

さらに、シェーンフェルトは別の著において、法の實定性の意味を一層嚴格に検討して、つぎのようにいっている。「實定法はそれの Positiva の意味において實定的であるのではなく、まさに Positivität の意味においてである。したがって、それはその全體性と現實性において超實定的 (überpositiv) である。法秩序は決して單に實定的ではない。のみならず、このゆえにそれはその最も深い本質において一般に實定的でない(五)」。彼によれば、「實定法」は一つの法學的先入見であり、無批判的獨斷である。「實定法」の概念をもって法を、したがって、全法秩序を意味し、單にそれの一斷片を意味するのでない限りは、それは脫落しなければならない。そこで彼はいう「法の材料 (das Material des Rechts) は實定的である。しかし、法そのものは實定的ではない。實定法を語ることは根本的には、人間の本質をそれの肉體性または身體性において見るのと、同一の唯物主義である。しかし、人間がその本質において肉體的でもあるが、單に肉體的ではないように、法もその本質において單に實定的ではない(六)」と。

シェーンフェルトはつぎのようにもいっている(七)。意味は決して實定的ではない。このゆえに、その實定的材料の意味としての法もまた、實定的ではない。われわれは實定的者の意味を定立することができず、われわれの定立するところのものが意味をもち、したがって、法となるかどうかは、われわれの力に屬することではない。法はその全體性と現實性において、したがって、その生命性（Lebendigkeit）において、何人によっても定立され創造されうるものではない。最大最強の暴君といえども、いな暴君であればなおさら、法を創造することができない。法を定立する者は、彼の定立するところのものが法であることの要求をかかげるものではあるが、その定立が法であることは、ひとびとがそこに法を認識するときにはじめて實現することである。法定立は法創造であり、慣習法において明かに見られるように、「その生命性における法共同體の全體的創造」（Gesamtschöpfung der Rechtsgemeinschaft in ihrer Lebendigkeit）である。このゆえに、歴史學派の教えたように、すべての法は根柢において慣習法であり、いわゆる制定法といえども、それがまず同化（sich einbürgern）しなければならない限りにおいて、慣習法である。もちろん、歴史法學に對してヘーゲルが主張したように、法生活は意識的にみちびかれないとき腐敗するから、法規（Gesetze）はなければならない。しかし、それは歴史のなかではじめて法となるのであって、それ自體は法ではなく、法の材料であるにすぎない。

このようにして、歴史法學派の主張した法の歴史性は、實證主義における法の實定性とは相容れない。法はその本質において精神であるが、精神はそれが現象するとき實定的でもあるが、その本質において決して實定的ではない。シェーンフェルトはいう「法は法であって、他の何ものでもない。それは十七・八世紀におけるように、自然法または理性法でもなく、十九世紀におけるような實定法でもない。」そして、法をその直接的卽實性においてそれ自體にとりもどすこと、法を「實定的」から解放することが、二十世紀のわれわれの使命である、と。(八) 法の實定性を單に Positiva の意味において、いいかえれば、材料的・感覺的實證性の意味において解する限りは、それは法の歴史性と親しみえないであろう。十九世紀の實證主義は、法の實定性をこのような意味のもとに解したのであり、これに對してシェーンフェルトは強く反對するのである。法の實定性をそのような意味に解する限り、實定法を語ることは、シェーンフェルトの容認しえないことであるであろう。のみならず、法はすべて實定法であるという主張は、自然法または理性法に對する主張としてはじめて意味をもつことである。したがって、法はすべて實定法であることに徹底し、それが自明化すれば、とくに實定法と呼ぶ必要もないのであり、シェーンフェルトが法を「實定的」から解放しようとすることにも、單に名稱だけのことではなく、理由はあるのである。しかし、たとえ「實定法」は否定されても、法の實定性は否定されない。「法はその本質上歴史的である。しかし、實定的ではない」(九)というシェーンフェルトにとっても、法は歴史性を缺くことができず、「正當性なき法はないが、實定性なき法もない」(一〇)のである。ただ、一九二七年に公刊された「法秩序の論理的構造」におけると、一九三一年に公刊された「法認識について」におけるとでは、彼の論調がやや異ることを見のがすことができない。前著においては「法は立法による法則である」といい、「定立なくして法はない」といっているが、後者においては「われわれは法を定立することができない」といい、「法を定立することは、われわれの力を越えることである」ともいっている。しかし、これは彼における矛盾または變改と見られるべきではないであろう。法定立はわれわれの力を越えることであるとしても、歴史的過程において進展することであり、歴史的過程において、われわれの力を越えて、行われる法定立なくして法はないのである。「われわれの定立する」法は、法規であり、法規定立の意味における法定立は實證主義の概念である。シェーンフェルトは、その後著において、實證主義とともに、その實定法の批判と排斥を主眼としたのである。彼の前著と後著における論調の相異は、それにもとづくことであるが、根本的に矛盾と見られるべきではないであろう。後著においてシェーンフェルトは、ドイツ人が裁判を“Recht-sprechung”といい、立法を“Gesetzgebung”というが、“Rechtsetzung”とはいわないことを指摘しながら、ひとは法規を與えることができ、法を宣告することはできるが、「法定立」が法秩序全體に關することである限り、われわれの力を越えることであるといい、「われわれは決して法そのものを定立することができない。また、わが國においても他の諸民族においても、曾て何人も法そのものを定立しなかった。それは單的に不可能であるからである」といっている。(二)

シェーンフェルトによれば、法の實定性または歴史性、それの定立性(Setzbarkeit)は、われわれによって定立されることではない。それは一歩一歩、場合場合に、したがって、具體的に歴史のなかで果されることである。すなわち彼においても、歴史のなかで行われる法定立は認められるのであり、法の實定性は法の現實性として、法の歴史性にほかならないのである。要するに、彼にとって法定立は、法規定立と區別されなければならず、したがって、「法は立法による法則である」という場合の「立法」も、いわゆる立法者または立法機關による立法行爲を意味せず、それも法定立と同様に歴史過程におけることであり、そのようなものとして、立法も法定立もわれわれの力を越えることであるのである。そして、實定法が實定化された法理性であり、法の現實が法理性の自己實現であるとすれば、法定立は法理性の自己實現の過程における一モメントであるであろう。歴史における法理性の自己實現を終極的に底礎するもの、したがって、「われわれの力を越える」法定立を終極的にみちびくものは何であるか。法哲學とともに教會法を講ずるシェーンフェルトにとって、結局において、それは神に歸することである。されば彼は、「法の現實は神の現實である。それは神の攝理によることである」(一二)ともいっている。

(一) Schönfeld, a. a. O. S. 44.
(二) a. a. O. S. 44 f.
(三) a. a. O. S. 45.
(四) Schönfeld, a. a. O. S. 48 f.
(五) Schönfeld, Von der Rechtserkenntnis, 1931, S. 49.
(六) a. a. O. S. 50.
(七) Schönfeld, a. a. O. S. 51.
(八) Schönfeld, a. a. O. S. 53.
(九) a. a. O. S. 56.
(一〇) Die logische Struktur, S. 44.
(一一) Von Rechtserkenntnis, S. 58.
(一二) Von Rechtserkenntnis, S. 66.

四　法の實定性と裁判

法はその實定性において「立法による法則」であり、法定立または立法を缺くことができないが、シェーンフェルトにとって、法の實定性には單に立法を缺くことができないのみならず、裁判をも缺くことができない。いな、裁判はより具體的な法定立であり立法である。彼は「法はそれにしたがって正すべき者、また、正す者にとって、一つの法則（ein Gesetz）であるのみならず、みずから正さざる者、正さざるがゆえに正される者にとって、一つの裁判（ein Gericht）である。正さざる正當性はそれ自體において矛盾であるであろうから、法は裁判、自己裁判または他者裁判（Selbstgericht oder Fremdgericht）である」(一)といい、また他の著において(二)「裁判なくして法はない」（Kein Recht ohne Gericht）、このゆえに、「慣習法が示しているように、法は法規なくしてもありうるが、裁判なしにはありえない」といい、また「正しながら定立されないであろう法は法ではなく、法の空虚な假象であるであろう。けだし、それは双のない劔であるだろうから」ともいっている。

もちろん、その際に彼が裁判（Gericht）というのは、ひろくすべての「法の確證」（Rechtsbewährung）を意味し、したがって、法の正當性にしたがって正すこと（richten）であり、他者によって裁かれる他者裁判とともに、自己みずからを正す自己裁判をも含めて、ひろく正すことと裁くことを指すのであって、狹く技術的意味においていわゆる裁判は、そのなかの一つのモメントではあるが、これのみを指すのではない。このゆえに彼は「正さざる正當性は、それ自體において矛盾であるであろうがゆえに、法は裁判である」といい、「裁判なくして法はない」ともいうのである。

法がその本質上正當性であり、したがってまた、裁判であるとすれば、裁判は法の上でも下でもなく、つねに法のなかにあり、法の外にあるのではない。このゆえに、裁判の效力は法の效力であり、法の效力は裁判の效力である。シェーンフェルトにとっては、ゴールトシュミットのいうように(三)、裁判が法の外にあり、裁判の效力と法の效力とは別の二つのことであって、そのゆえに、二重の法秩序を形成するのではない。なるほど、法規と判決とにおいて、法は二元化する。しかし、それはまさに法そのものの二元化として、法のより高次の統一のなかにもとづくことである。このようにしてシェーンフェルトによれば、法が段階的に實現することは、法理性の實定化としての法の法則性のなかにもとづいていることである。すでにヘーゲル(四)やザウェル(五)もいったように、あらゆる場合のために妥當する法規が、判決のなかに具體化するのである。このゆえに、いわゆる「誤判」も判決である限りは、法である。けだし、早産や流産も自然の可能性のなかにあるように、「誤判」もまた法の可能性のなかにもとづくからである。しかし、實體的法效力論の主張するように、有效な誤判がいわゆる實體法を變更するのではない。けだし、實體法と形式法とが、相互に變更しうるとか變更しえないとかいうように、同一平面上にあるのではないからである。なるほど、現實的者は可能的者の他者であり、したがって、實現は可能的者の變化ではある。しかし、それの充足という意味における可能的者の變化であって、決して、それの內實の意味における變化ではない。誤判によって實現されなかった實體法の可能性は、依然として可能性として持續し、いつでも實現されることができる。他面において、もし實體法のなかに誤判が可能性としてすでに用意されていたのでなかったら、それは現實的であることができなかったであろう。このようにして、いかなる意味において判決のために現實性が用意されているか、いかなる範圍において判決に法效力をあたえようとするか、いかなる程度において可能的な他の實現を阻止しようとするか、それらのことは實定法に依存することである。しかし、形式的法效力論もまた不當である。けだし、それは法效力を訴訟に限定することによって、實體法に對して形式法を絶對化するからである。むしろ、兩者は法の同一の實定性の機能に屬するものと見られなければならない。實現されない法可能性は枯れていく。このようにして、法規が漸次に裁判の見解をとりいれながら、裁判とともに變轉していくことが認められる。このゆえに、法規は「永久に昨日的なものであるとともに、現在的な法」(das Ewig-gestrige, gegenwärtiges Recht) である。しかし、さればといって、ビュロウの考えるように、(六) 判決がはじめて法を定立し、法規が全く無であるかのように解されるべきではない。それは判決を不當に絶對化するものであり、あたかも、法規を完成した規範と見、これをただ適用するだけと考えて、法規を判決に對して絶對化するのと同一の誤りである。それは結局において、法の二重秩序の理論をみちびくであろう。むしろ、法規と判決とは立法または裁判の一つの手續における二つの段階として、相互に相關的であり、それらは同一の實定性の二つの方法である。訴訟は權利の確證であるから、それによって當事者のために織りだされる權利保護は建設的原理ではなく、規整的原理であるにすぎない。このゆえに、裁判はどこに法秩序があるかを正しく限界づけたときにのみ、法宣告 (Rechtsprechung) であり、このゆえに、法にしたがって裁くということは、法規や慣習が法源としてどこに屬するかを裁くことである。このゆえに、裁判は今日でも法の發見（Rechtsfindung）であって、法の發明（Rechtserfindung）ではなく、裁判の宣告は判斷（Urteil）または認識（Erkenntnis）と呼ばれる。けだし、裁判は眞理、すなわち、理論的正當性に對してではないが、實踐的正當性に對して、要求をかかげるものであるからである。（七）

このようにしてシェーンフェルトによれば、（八）裁判は恣意ではなく拘束である。しかし、單に拘束ではなく自由でもある。法發見は法發明ではなく、その限りにおいて拘束されるが、しかし、多かれ少かれ自由な法發見である。けだし、裁かるべき事案の裁く法に對する關係は、種（Art）の類（Gattung）に對する關係ではなく、したがって、法のもとに綜括されるのでもなく、また、法からひきだされるのでもないからである。一般に可能的者から現實的者がひきだされないように、具體的事案は決して法規からひきだされない。裁くこと（richten）は定型化すること（typisieren）であるが、圖式化すること（schematisieren）、または、一般化すること（generalisieren）ではない。事案の特性が複雜であればあるほど裁判の仕事は困難となるが、それとともに自由ともなり、單なる當てはめの仕事から遠ざかる。のみならず、制定法規または慣習法が事案の特性のうちに實現される何らの定型をも含んでいない場合、いわゆる法規の缺陷と呼ばれる場合もある。しかも、裁判は法を斷念することができず、裁判は法をみずから見いださなければならない。いいかえれば、その事案のために法を定立しなければならない。しかも、それの法的可能性の條件は法理性よりほかのものではない。裁くことによって法理性の歷史的現實を現在に能動化させるのである。

しかし、自由な法發見とはいっても、恣意ではない。それも歴史の流れのなかにあり、法理性の自己實現である。ここでもまた、自由な法發見といい拘束された法發見といっても、また、法發見といい立法といっても、決して絶對的ではなく、相對的な對立でしかないことを、シェーンフェルトは强く主張している[九]。彼によれば、古代のドイツ法は裁判員を "Schöffe" と呼んだが、Schöffe は整頓 (Ordnen)、命令 (Verordnen)、決定 (Bestimmen) の意味における創造 (Schaffen) から由來する。また、ヘックが裁判の創造的性質を主張したが[一〇]、それは裁判慣例も法規や慣習とならんで法源であることを意味する。いうまでもなく、裁くことは各人に彼のもの (das Seine) をあたえることであるが、ある者にとっての「彼のもの」は彼の法的可能性の條件よりほかの何ものでもない。したがって、彼のものをあたえること (das Geben des Seinen) は、法體系への關連をふくみ、法體系のもとに抽象的な「各人」(das Jede) を、具體的な「ある者」(ein Jede) とすることである。この場合に事案の個有型的者 (das Eigentypische) が、多かれ少かれ抑制されることをまぬがれないが、その抑制はできるだけ少くなければならない。そこでシェーンフェルトはいう[一一]「自由法論には一方では判例崇拜の危險性が、他方では無體系の恣意に陷る危險性があるから、裁判を奴隷化する啓蒙の斷定的な立法と同樣に贊成できない。むしろ、原則立法の半固定的體系 (das halbstarre System der Prinzipiengesetzgebung) が正しい體系である。そこでは恣意でなく奴隷でもなく、自由が支配し、各裁判員は彼の理性において國民の理性にみちびかれるからである」と。

（一） Schönfeld, Die logische Struktur, S. 49.

(二) Ueber den Begriff einer dialektischen Jurisprudenz, 1929, S. 9 f.
(三) James Goldschmidt, Der Prozess als Rechtslage, 1925, S. 212.
(四) Hegel, Philosophie des Rechts (ed. Lasson), S. 178.
(五) Sauer, Grundlagen des Prozessrechts, 1919.
(六) Oskar Bülow, Gesetz und Richteramt, 1885.
(七) Schönfeld, Die logische Struktur, S. 50 ff.
(八) Schönfeld, a. a. O. S. 52.
(九) Schönfeld, a. a. O. S. 53.
(一〇) Philipp Heck, Gesetzesauslegung und Interessenjurisprudenz, 1914, bes. S. 250.
(一一) Schönfeld, a. a. O. S. 54.

五　法の實定性と法の執行

シェーンフェルトにとって、法の實定性は法定立と裁判とのみによってつくされず、さらに法強制をもその必然的モメントとする。「法はその實定性を裁判において完成しない。けだし、殺人者が裁かれたときにではなく、彼が處刑されたときにはじめて、彼の處爲に對して最後の法が定立されたのであるから。執行者なくして法はなく、強制執行なくして法はない。けだし、法は裁判および立法であるとともに、強制執行であるから。この三つの段階において、または時間的要素を排除するためにもっとよくいい直せば、この三つの仕方において、法の自己實現が展開する。その場合に、それらの各々が、他の兩者を多かれ少かれ同時に包含しているが、(一)」と彼はいう。

彼によれば、强制は本質的に必然性であるが、しかし、自然的必然性ではなく、畢竟は、自我關連(Ichbezug)における必然性である。强制するのは自然の事物ではなく、いずれかの自我であり、强制されるのもいずれかの自我であって、自然の事物ではない。强制は自我と自我の關連においてのみ、また、行爲の領域においてのみ、成立する。このゆえにまた、いわゆる物理的强制も純物理的であることができず、多かれ少かれ心理的强制でもある。

シェーンフェルトにとって、裁判が法の實定性の必然的モメントであり、法の實定的機能であるとすれば、强制は裁判の必然的展開にほかならず、このようなものとして、强制もまた法の實定性のモメントである。彼の言葉をかりれば、「法は定立されることによって實定的であり、定立されることによって裁き、裁くことによって强制する。したがって、法は實定的に强制のうちにあり、强制は實定性のなかにある。このゆえに、强制執行を全く別のものとして法に附加されるものと見ることは、全く誤りである。むしろ、裁判執行者が最後の裁判者であり、最後の立法者である。執行者が法定立をその自己實現の長い過程において、完成するのである。このゆえに、法は强制のうちに、强制は法のうちにある。このゆえにまた、國際法はその大部分において、中世紀の法と同様に、なお法への途中にある。けだし、それは必ずしも裁判を缺かないとしても、しかもなお、强制執行者を缺くからである」と。(二)

しかし、「法は强制のうちに、强制は法のうちにある」とはいっても、すべての强制がそのゆえに法强制であるのではないであろう。法のうちにあるのは法强制であって、すべての强制ではない。法強制は法のうちにあって、法の外にあるのではない。そして、強制を法強制たらしめるものは、もはや法の實定性ではありえない。ここでシェーンフェルトも、法の正當性との關連において法強制を說く。

彼によれば、(三)法は單に強制のうちにのみならず、正當性のうちにもある。また、強制は單に法のうちにのみならず、法の外にもある。したがって、イリインの主張したように、(四)強制は一つの世界から他の世界への通路である。強制は「ために」の機能（die Funktion des "Für"）であり、法は一定の場合のために定立される。もし強制がなければ、この「ために」（Für）は果されない空虛な飾り言葉であるであろう。このゆえに、ナトルプのように、(五)適法な強制も違法な強制もあるから、強制は法の外にある、というのは正しいとともに誤りでもある。

法強制の問題は法と力の關係の問題でもある。法は強制であるとすれば、必然的に力でなければならず、したがって、「法は強制のうちにある」と同様に、ウィザーのいうように、(六)「力の法則」（Gesetz der Macht）のもとにある。のみならず、法の力は權力（Gewalt）でもあり、このゆえに、道義のもたない劍をふるう。道義は良心における自己裁判であり、自己立法であるがゆえに、劍をもたず、つねに自律的である。道義の自己裁判は苛責と悔悟における自我の分裂であり、そこでは、私みずからよりほかに何人も私を判決せず強制しないが、また、解放もしない。これに反して、法は必然的に自己裁判でもなく、必然的に他者裁判でもなくて、そのいずれでもあることができる。法は、みずから正す者にとって、自己裁判であるが、みずから正さざる者にとって、他者裁判でなければならない。

法はその實定性において强制を缺くことができないとともに、力をも缺くことができない。强制とともに力もまた、法のうちにある。しかし、すべての强制が法强制であるのではなく、すべての力が法の力であるのではない。强制と同様に、力もまた法の世界と非法の世界との通路であるであろう。(七)

シェーンフェルトによれば、(八)强制または力を、法强制たらしめ法の力たらしめるものは、それの正當性の意識(das Bewusstsein um ihre Richtigkeit)である。けだし「すべて裁くことは一の自我が裁くことであり」(alles Richten bedeutet ein Ich richte)、したがって、その自我が裁くことにおいて自己および彼の裁きについて自覺するときにのみ、裁きがある。このゆえに、法意識なくして裁判はないが、それは法確信なくして法はないというのと同義である。しかるに、法はエトスにもとづくがゆえに、法について確信をもつということは、良心的に裁くこと(Gewissenhaft richten)である。このゆえに、ゴールトシュミットが適切に表現したように、(九)法は「良心からの權力」(Gewalt aus Gewissen)である。ある行動を爲した者を犯罪者たらしめるものは、彼を裁く法規ではなく、彼の惡しき良心(böses Gewissen)である。彼が善き良心をもって彼の法の確信のもとに行爲すれば、彼には違法の意識はなく、たとえ、彼が法規の上で法をもたなかったとしても、また、犯罪の客觀的要件を充足したとしても、彼は不法のなかにではなく法のなかにある。違法の意識は法規の知識という意味における法の知識ではなく、現在の場合における不法の知識、すなわち、惡しき良心である。ゆえに、善き良心からの權力はつねに法のうちにある。善き良心、したがって、純粹な良心をもって裁く者は、たとえ法規を誤ったとしても、つねに正しく裁いたのである。違法の意識をもって力を行使する者は、純粋な良心にでなく、したがって、法のうちにあることができない。

このようにしてシェーンフェルトにとって、法は良心からの權力であり、强制および力は純粋な良心にもとづくとき、法のうちにあって、法强制であり、法の力である。

しかし、「法が良心からの權力」であるとすれば、ときとして、われわれは法のうちにあるかどうかを確實に斷言することができないであろう。われわれにとって法は、ときに、はなはだ不確實なものとなる。これに對してシェーンフェルトは、つぎのようにいう。(一〇)「このゆえに、われわれは緊急の場合に權力法(Gewaltrecht)を語る」。しかし、他面において、「この不確實性はそこに實生活への親近性を示すがゆえに、われわれの見解の弱點であるよりも、むしろ、長所である」と。けだし、現實の生活は多かれ少かれ複雑混亂しており、その眞實を把捉することができるとともに、また、把捉することができないのでもあるからである。このゆえに、法學的合理主義は現實生活の一面をのみ見て、他面を無視し、それによって全體を殺す。「力の法または權力法(das Macht- oder Gewaltrecht)は法の正當性の極限點であり、同様に、無力な法はその實定性の極限點である。この兩極のあいだにすべての實定法が永久の辯證法において緊張し、あるときはその一方であり、あるときはその他方である。しかし、その全體性における法が、良心からの權力であることによって、いつ自己みずからに到來するかは、いかなる學者の悟性もこれを斷言することができない」。このようにしてシェーンフェルトは最後に「法感情が法およびその現實性の確證である」といっている。

(一) Schönfeld, a. a. O. S. 55.

（二）　a. a. O. S. 56.
（三）　Schönfeld, a. a. O. S. 56.
（四）　Iwan Iljin, Die Begriffe von Recht und Macht, Archiv f. systemat. Philosophie, Bd. XVIII, 1912, S. 139.
（五）　Natorp, Praktische Philosophie, 1925, S. 457.
（六）　Friedrich von Wieser, Das Gesetz der Macht, 1926, S. 112 ff.
（七）　Schönfeld, a. a. O. S. 56.
（八）　Schönfeld, a. a. O. S. 57.
（九）　James Goldschmidt, Der Prozess als Rechtslage, 1925, S. 236.
（一〇）　Schönfeld, a. a. O. S. 59.

六　法の正當性

法は實定性とともに正當性を缺くことができない。法理性または正當性は、シェーンフェルトにとって、法における法的者であり、法の可能性の條件である。法は實定性において强制を、したがって、力を缺くことができないが、强制は强制であるがゆえに法强制であるのではなく、力は力であるがゆえに法の力であるのではない。それを法强制たらしめ法の力たらしめるのは、正當性の意識である。このゆえに彼にとって「法意識なくして裁判はなく、同一のことであるが、法確信なくして法はない」（一）。そして、法の確信をもつということは、法はエトスにもとづくがゆえに、良心的に裁くことである。法の正當性は「實定法におけるアプリオリ」であり、「すべて歴史的な法が現實的法として一般に可能であるために充足しなければならない條件の體系」である。もちろん、「實定法における この非實定的アプリオリは、それが單に法の可能性であるがゆえに、それみずからは法ではない。そ れは實踐の法則ではない。その點において過去の自然法または理性法が誤った。それは義務づけの要 求をかかげない。むしろ、それはその可想性における法的者(das Rechtliche in seiner Denkbarkeit) であり、法論理であり、理論的法則であって、實踐的法則ではない。それは法的者の眞理(die Wahrheit des Rechtlichen)であり、過去、現在、將來のいずれたるを問わず、すべて實定法がそれにし たがい、また、したがわねばならないところのものである。それがまさに實定法であって、實定的な 他のものでないためには(二)」。もちろん、法的正當性は法的アプリオリとして經驗から獲得されるもの ではないが、法現實の經驗においてのみ獲得されることができるのであり、法現實の認識はつねに同 時にアプリオリ的者の認識である。法的アプリオリは法的經驗を底礎するものであるからである、と 彼はいう。

彼にとって(三)、法は正當性を缺くことができず、したがって法理性によって底礎されていなければな らない。しかも、法はまた實定性を缺くことができず、すべて法は實定的である。いいかえれば、法 は必然的に法理性において實定的である。そうであるとすれば、法の正當性は決して絕對的ではな く、したがって、この意味において一般に正當性ではない。「實定的すなわち歷史的正當性は、嚴格 に見れば、それ自體における矛盾である。けだし、正當性は歷史の可能性の條件であるから」。正的 者はそのあるべきがごとくにあるところのものである。したがって、それはあるよりほかのものであればそのあるべきがごとくになかったのであるから、そのあるよりほかのものではありえない。したがって、絶對的正的者は變化せず、したがって、歷史をもたず、歷史のなかに位置をもたない。このゆえに、カントは絶對的者は現象しえないといった。歷史のなかに現象するものは決して絶對的正的者ではなく、單に正的者の要求（Anspruch des Richtigen）であるにすぎない。實定的正當性は普遍的正當性にもとづく可能性の現實であり、このようなものとして普遍的正當性によって制約され底礎され可能にされた正當性である。したがって、法はつねに絶對的ではないから、何らかの仕方で絶對的者に關係し、それのなかにもとづくときにのみ正當性である。そうでなければ、正當性に對するそれの要求は根據がなく、したがって、正的者の擬制となり、眞實には單純な事實となるであろう。實證主義はこれを敢てした。彼らにとって、法は法であるがゆえに法であり、法はそれ自體のうちにその根據をもつ。しかし、このように自己みずからに根據をもつものを、われわれは絶對的と呼ぶ。實證主義は相對主義であるがゆえに、まさにそのゆえに、相對的者、歷史的者を絶對化しなければならない。このゆえに、實證主義は實定法の認識ではなく、むしろ、法における實定的者の認識である。このゆえに、それは法認識であるよりも、より多く法規認識であり、このゆえに、それは技術的意味における あらゆる法規を無批判に法と見る。

このようにして、シェーンフェルトにとって、法はすべて正當性を缺くことができないが、法はすべて實定的であるから、法の正當性は絶對的ではなく相對的である。したがって、現實の法はすべて多かれ少かれ正當であるが、そのことは同時に、それが多かれ少かれ不正當であることをも意味する。法は法であるために正當性を缺くことができないが、すべて法は實定的であるがゆえに、法の正當性は相對的である。

しかし、相對的者はすべて絕對的者のうちにもとづき、それに制約されてそれの根據をもつ。相對的正的者は絕對的正的者にもとづき、それによって制約されるものとしてはじめて正的者である。そうでなければ、相對的にもせよ、正的者の要求は何らの根據をも有しないことになるであろう。このようにしてシェーンフェルトは、相對的な法の正當性の根據としてロゴスを求め、ロゴスに絕對的正當性を見る。彼にとってロゴスはその一面においてエトスであり、また、歷史の條件である。彼はこのようなロゴスを追究して、結局、神にまでいたる。「はじめにロゴスがあった。それは世界の初りである。そして、神はロゴスであった。それは世界の終りである。神の理念は終極的者であり第一義的者である。發端であり終末である。」と彼はいっている。(四)

ところで彼によれば、(五)實定法は相對的正的者であるために絕對的者にもとづかなければならないが、絕對的者にもとづいて相對的正的者たることを要求するのは、單に法のみではない。道德も絕對的正當性の歷史的現實であり、その正當性の要求はエトスにもとづく。けだし、法も道德も思惟や構想そのものをではなく、行態を正すのであり、理論的基礎づけ、または、美的形成をではなく、義務づけを要求するからである。このようにしてエトスは歷史において、一方では實定道德のうちに、他方では實定法のうちに、二重に現實化する。理論的正當性たる眞理の歷史的現實が學問であり、構想的正當性たる美のそれが藝術であるのに對して、實踐的正當性たるエトスのみが何ゆえに二重に現實化しなければならないか。

シェーンフェルトによれば、(六)エトスは必然的に道徳と法において二重の現實をもたなければならない。けだし、我とともに汝の可能性が、したがって、社會の可能性が定置されるのであるから、したがって、汝の妨害のゆえに我が行爲すべきがごとく、また、行爲せんとするごとくに、行爲しえないというように、行爲の相互的反撥の可能性もまたあるからである。このゆえに、社會の可能性はこのような道徳的行爲の妨害を防止する秩序の可能性を要求する。しかも、それは道徳みずからのなしえないことである。けだし、道徳は良心にのみ語り、良心の使徒たることをその使命とするから。「この道徳のためにエトスによって要求されるもひとつの秩序」が法秩序である。このゆえに、法は必然的に社會秩序である。道徳は社會秩序でもありうるが、必ずしも社會秩序たることを要しない。なお、このゆえに、法は必然的に强制秩序である。强制のみが妨害を防止しうるから。したがって、可能性の意味における强制を缺く秩序は、すべて法秩序ではない。法は强制の可能性のもとにおける社會秩序である。しかし、それの守護のもとに道徳的に行爲しうるときにのみ、强制は法强制であり、秩序は法秩序である。そうでなければ、それの正當性への要求、すなわち、それの相對的正當性が脱落するからである。したがって、不道德的法ということは、それみずからに矛盾であり、法ではない。なるほど、法は決して無制約的に正當ではなく、また、ありえないから、不正當な法はある。しかし、一般に法であるために決して不道德的であることは許されないから、不道德的な法はありえない。このゆえに、反良俗行爲の無效を定める規定は當然であるとともに無用である。良俗に反する行爲はそもそも法行爲ではないからである。

しかし、不道德な法はないとしても、他面において、いかなる法も必然的に同時に道德的であるのではない。法は强制道德ではなく、道德の保障のためではあるが、道德とは別の强制秩序であるからである。なるほど、法は道德を保障すべき任務をもつ。しかし、他面においてそれを越えて社會を規律すべき任務をもつ。このゆえに、不道德は決して適法ではないが、必ずしも違法ではない。また同樣に、違法は必ずしも不道德ではないが、適法は決して不道德ではない。いいかえれば、ひとは同時に必然的に良俗に反することなしに法に反することはありうる。また、同時に必然的に法に反することなしに良俗に反することはありうる。しかし、ひとは決して良俗に反する權利をもつことはなく、ひとのもつ權利は決して不道德的でありえない。

しかし、シェーンフェルトにとって、(七)法が不道德的でありえないというのは、全體良心(das Gesamtgewissen)に反して法がありえないということである。一個人の良心に照して非難されるべき法も、なお全體良心に反しない限りは法であることができる。法の許與および當爲は絕對的ではなく、あらゆる事情のもとにあたえられているのではない。しかし、「エトスの絕對的許與および當爲に關係することなしには、一般にいかなる許與も當爲もないであろう。」と彼はいう。

このようにして、彼にとってエトスは必然的に法と道德とにおいて二重に現實化する。法は道德とともにエトスに底礎され、その正當性の根據はエトスにある。ひとしくエトスに底礎されるものとして法と道德とは相異りながら、密接に關連する。彼にとって法は道德を守護すべき任務をもつのである。そこには法をもって道德を可能ならしめる條件と見るフィヒテ的思想を連想させるものがある。このゆえに、彼にとって不道德的な法はありえない。しかし、その場合に彼が「不道德的な法がありえないというのは、全體良心に反して法がありえないということである」といっていることが注意される。いわゆる「全體良心」というのは、彼において必ずしも明瞭でないが、それは彼にとっても個人良心と必ずしも一致しないものである。「一個人の良心に照して非難されるべき法も、なお全體良心に反しない限りは法でありうる」と彼はいっている。つまり、彼にとっても「豫言者鄕里に容れられない」ことがありうるが、豫言者を容れない鄕里の法も、彼にとって、不道德的ではなく、法である。法は個人良心に底礎されるものではなく、社會意識の自覺にもとづくのであり、いわば、社會的エトスにもとづくのである。彼の「全體良心」というのは、このような社會的エトスであり、いいかえれば、社會におけるひとびとの意識におけるエトスの現實化であろう。しかも、それもエトスの現實化として相對的である。このゆえに、彼にとって「法であることは――法への道にあること」であり、「法であること」はあたえられていることではなく、課せられていることであり、課せられていることを實現するために、努力と營爲と鬪爭を必要とするのでもある。

（一）　Schönfeld, Die logische Struktur, S. 56 f.
（二）　a. a. O. S. 37 f.
（三）　a. a. O. S. 37 ff.
（四）　a. a. O. S. 34.
（五）　a. a. O. S. 43.

（六）（七）a. a. O. S. 44.

七　法の正當性の相對性と法をめぐる鬪爭

實定法が餘すところなく實定的であるのでないように、（一）法が餘すところなく正當的であるのではない。（二）シェーンフェルトにとって、實定法も法である限り全く正當性を缺くことはありえず、したがって、餘すところなく實定的であるのではない。しかし、他面において、實定法における正當性である限り、法の正當性は絶對的ではなく、相對的である。相對的に正當であることは、相對的に不正當であることでもある。したがって、法はすべて多かれ少かれ正當であるとともに、また、多かれ少かれ不正當でもある。いいかえれば、法には惡法もあるが、惡法といえども法と認められる限りは、多少とも正當であるとともに、他面においては、いかなる法も多かれ少かれ惡法である。法の正當性は相對的であるが、いかなる法も相對的に正當性を缺くことができない。けだし、法は正義の表現であり現象であるから。このゆえに、すべての法はその根柢において正當であり、また、正當でなければならない。シェーンフェルトはいう「法として認識することは、正義の招請に應じ、その聲にしたがうことである」（三）と。また彼は、法として認識することは「事物や人々をその全體性において觀察し處理し、單に一面から觀察し處理しないことである」ともいっている。一面性は不正義の本質であり、正義はつねに他の側面をも聽く。もし、立法者や裁判者が一面的であるならば、彼がその内面の聲、よりよき知見、彼の確信にそむいて行爲するならば、もし彼が個々の場合において正義の語るところに静かに傾聴しないならば、彼は法を認識したのではなく、彼の法規や彼の判決は、たとえ一時法たるの要求をかかげ、權力をもってこれを貫徹することができても、現實と眞實において何ら法ではない。このようにして彼はいう「現實と正義とは、區別されるのみならず、區別されなければならないにもかかわらず、いな、そのゆえにこそ、法的者において一つであり、法は現實的法であるとともに、そのゆえに、現實化された正義である」[四]と。

しかし、彼によれば、歴史は正義と現實を分別する。そのゆえに、法の歴史は、相互に依存しながらつねに相對的である正義と現實との分別である。現實化されない正義は無用の抽象であるが、現實化された正義はもはや純粋ではなく、もはや絶對的でなく相對的であり、そのゆえに、多かれ少かれ不正義をも含むからである。「正義はつねに道中にある。……それは一つの歴史的な事柄である。……それは單に歴史以前にあるのみではなく、むしろ、いな本質的には、歴史のなかに歴史とともにあり、生死ともに歴史と不可分である」[五]。このようにして、シェーンフェルトにとって、正義は法の歴史の實體であり、歴史によって生き、歴史のなかで窮乏と病患と、貧困と墮落を體驗する。正義もまた法の背後の青白い理論のなかにあるのではなく、その歴史における法にほかならない。「それは歴史的法の變轉・變革であり、それの永劫の Transsubstantiation である」[六]と彼はいう。

そうであるとすれば、一民族の法の歴史はそれの正義との對決（Auseinandersetzung mit der Gerechtigkeit）であり、したがって、法批判（Rechtskritik）である。それは法をめぐる一民族の闘争であり、正義をめぐる角逐であるが、また、正義に對するそれでもある。そこには實生活においてつねに見られるように、勝者と敗者がある。ここでシェーンフェルトはいう「生きる者が法をもつ。そして、神はつねに强者とともにある。强者は神によって强い。しかし、生命を主張する者のみが生命をもち、存續するもののみが强い。これを教えるのは瞬間ではなく將來である。瞬間の成果は歴史において何ものをも意味しない。今日力を把持する者は、これを保持する道を知らなければ、明日これを失うであろう（七）」と。このようにして、彼にとって、法はまた力でもあるが、そのゆえに、法をめぐる闘争は力をめぐる闘争でもある。すべての歴史におけると同様に、法の歴史においても、事は神的に、また、悪魔的に進展し、したがって、人間的に進展する。神への可能性とともに悪魔への可能性をもそれ自體に含むことが、人間の、また、その歴史の意義である。このゆえに「力をめぐる闘争は正義の目標のもとに行われるときにのみ法をめぐる闘争である。そこで目指されるものは力そのものではなく、法における力であり、正義の現實である。法をめぐって闘争する者は、法のために闘争するが、法にそむいてではなく、正義のためにであるが、正義にそむいてではない（八）。」と彼はいう。

彼はさらにいう「世界の歴史は法の闘争にとっても世界法廷である（九）」と。しかし、そこではわれわれがカゲロウであるかのように、その日その日に判決しうるのではない。歴史の過程はまさに過程であり、時間を必要とするからである。背理的者（das Widersinnige）も世界の意義に參與し、不正的者（das Ungerechte）も法の正義に參與する。徹底的に餘すところなく不正當であるであろう法はない。そうであるとき、それは一般に存在せず、現實ではないであろうから。それは、全く悪評非難の的である法についても、それが法として認められる限りにおいて、妥當する。最も非人間的な人間すらもなお人間であり、神の被造者である。神が何ゆえにそのように世界を創ったかを、われわれは知らない。悪も善と同様に現實的であり、このゆえに、われわれは神を善悪の彼岸に考えなければならない。善と悪との對立のうちに浮沈することが、歴史の、したがって、法の歴史の本質に屬する。法の歴史は不法の歴史でもある。法が不法でもあるように。このゆえに、法は不斷に自己みずからと角逐し鬪爭するのでもある。(二〇)

このようにして、法の歴史が一民族の法をめぐる鬪爭であるとすれば、この法は二重の意味において平和秩序である。それは前方と後方にむかって、いいかえれば、將來と過去にむかっての、二重の意味において平和秩序である。法は法をめぐる鬪爭を一應終了することによって、過去にむかっての平和秩序である。その限りにおいて法は平和締結であり、それがその社會學的側面をなす。しかし、それは規律する限りにおいて、將來にむかっての平和秩序でもある。それが法の法學的規範的側面でここある。

このようにして、シェーンフェルトにとって、法は正當性を缺くことができないが、法の正當性は相對的であり、法は正當性とともに、多かれ少かれ、不正當性をももつ。このゆえに、法は鬪爭の過程にある。法をめぐる鬪爭は正義をめぐる鬪爭であるとともに、他面において、力をめぐる鬪爭でもある。力をめぐる鬪爭は正義をめぐる鬪爭に裏づけられる限りにおいて、法のための鬪爭である。このゆえに、法の現實はヤヌスの頭と同樣に二面をもつ。それは過去にとってはその鬪爭を一應終結したものとして平和締結であり、そのようなものとして、事實的な社會學的な性格をもつ。しかし、他面においてはなお將來にまでその展開を持續する鬪爭過程にあるものとして、將來にとっての平和秩序であり、そこに法の規範的性格が示される、というのである。法はその規範的側面においては、なお依然として將來にむかっての、正義をめぐる鬪爭である。畢竟、シェーンフェルトにとって、法であることは法への道にあることであり、法は正義の現實化であるが、正義の現實化は單に與えられた事實ではなく、課せられた課題でもある。法をめぐる鬪爭は、この課題のための鬪爭でもある。このゆえに彼にとって「現實と正義とは法的者において一つである」とともに、「法の歴史は現實と正義の分別である」のであり、「法の歴史は不法の歴史でもある」のである。しかし、また「法の歴史は、それが同時に、法をめぐる鬪爭であるという意味においてのみ、正義の自己實現である」（一二）のである。

（一） Die logische Struktur, S. 37.
（二） Von Rechtserkenntnis, S. 73.
（三） a. a. O. S. 73.
（四） a. a. O. S. 74.
（五） a. a. O. S. 74 f.
（六） a. a. O. S. 75.
（七） a. a. O. S. 75.
（八） a. a. O. S. 75 f.
（九） a. a. O. S. 76.
（一〇） a. a. O. S. 76 f.
（一一） a. a. O. S. 77.

（一二）Von Rechtserkenntnis, S. 81.

八　法の正當性と法の效力

「現實と正義とは法的者において一つである」とすれば、また、法において實定性と正當性とは相互に制約しあっているとすれば、そのことの殊に際だって見られるのは、法の效力においてである。シェーンフェルトはつぎのようにいっている。「法は實定的である限りにおいて現實のうちにおいて妥當し、正的者である限りにおいて現實のために妥當する。それは時間と空間のために妥當し、しかも、時間と空間のなかにおいて妥當する。これは解決不能の謎のようなひびきをもつ。しかし、この矛盾は解決できるとともに、しかし、もし法を一方において現實から解離し、他方において現實のなかに解消させたのでは、把捉されえないところのものである」と。（一三）このゆえに、と彼はいう、ケルゼンの規範法學はその反對者である社會學的法學と同樣に正鵠を失している。前者は法と現實を當爲と存在として鋭く對立させることによって、實證主義を稱しながら法の實定性を見誤り、後者は法と現實を單に存在のうちに把捉することによって、法の正當性を破壞する、と。彼によれば、法は嚴密な意味において當爲でも存在でもなく、むしろ、兩者によって制約され、したがって、相對的である。それは要請されるものとして當爲に關係し、在るものとして存在に關係する。それは正的者である限りにおいて Gesolltes であり、實定的者である限りにおいて Seiendes である。「それは、その正當性またはその實定性、その規範的側面またはその社會學的側面のいずれを強調するかにしたがって、存在する當爲（seiendes Gesolltes）であるとともに、當爲的存在（gesolltes Seiendes）である。そこに、すべての現實的者と同様に法が複合的であり、單に一面をのみではなく、二面をもつことが示されている（二）」。

ところで、シェーンフェルトによれば、法の本質的機能は裁判にある。このゆえに、彼にとって裁判なくして法はない。もちろん、その場合に裁判というのは、制度的裁判所の行う裁判だけに限らない。みずから正す自己裁判（Selbstgericht）とともに、みずから正さないがゆえに他によって正されなければならない他者裁判（Fremdgericht）をも含めて、ひろくこれを意味している。彼にとって法は正當性を缺くことができないが、「正さざる正當性はそれ自體に矛盾であるだろうがゆえに、法は裁判である（三）。」そして、裁判は法の本質的機能であり、これをはなれて法はありえないとともに、效力はその機能における法そのものにほかならないがゆえに、法の效力は裁判と密接に關連することになる。されば、彼は「裁判の效力は法の效力であり、法の效力は裁判の效力である」といい（四）、また、「效力とは裁判への能性（Fähigkeit zum Gericht）であり、裁判可能性（Richtbarkeit）である（五）」ともいっている。

裁判の效力が法の效力であるとすれば、彼にとって、いわゆる誤判もまた裁判の宣告である限りにおいて法である。けだし、それもまた法の可能性のなかにあったのであるから、と彼はいう。「現實的者は可能的者の他者であり、したがって、實現は可能的者の充足の意味における變化ではあるが、その內實の意味における變化ではない。誤判によって實現されなかった實體法の可能性は、依然として可能性として存續し、いつでも實現されることができる。そして、誤判はもしそれがすでに實體法のうちに、それの可能性が用意されているのでなかったら、現實的でありえなかったであろう。(六)

このようにして、裁判をはなれて法はないがゆえに、彼にとって、法の效力も裁判と離れてあることができない。彼はいう「法は裁くことによって妥當し、妥當することによって裁く。效力は裁判における法の自己實現である」(七)と。このゆえに、彼にとって、法を定立することは、法を效力のうちにおくことであり、法規の公布とともに生ずることではない。裁かない法は、何ら效力をもたないのである。このゆえにまた、效力を生ずるというのは、法の實現のことであり、效力を失うというのは、法の非現實化(Entwirklichung des Rechts)のことである。けだし「效力とは裁判における法の現實、しかも、その自己實現」にほかならないからである。(八)ただ、この場合に「裁判」というのは單に裁判官の行う裁判のみではなく、みずから正す自己裁判をも含めてひろく意味していることを、注意しなければならない。

このようにして、シェーンフェルトにとって「正さざる正當性はそれ自體に矛盾であり、」法は正當性を缺くことができないから、法は裁判をはなれてありえない。裁判において法の正當性が實現し、それが實現することによって裁くのである。そして、法の效力とはこのような法の機能であり、機能における法にほかならない。法はその機能において現實的であるが、したがって、法の效力とは法の現實性にほかならないであろう。そして、法は法をめぐる闘爭において生成し現實化するように、法の效力もまた正當性をめぐる闘爭において生成するのである。彼にとって、法と法規が區別されるように、法の效力と法規の效力とも區別されなければならない。法の效力は法規の效力とは異って、一定の日時に發生し、一定の日時に消滅するというように、劃一的に定められることではなく、不斷の鬪爭過程にあることである。「法であることとは、法への道にあることである」といったように、彼は「現實に效力をもつ法、すなわち、現行法であるということは、法への道、法への通路にあるということであり、すでに在った法および今後在るであろう法との對照において、生きている法（lebendes Recht)、鬪っている法（kämpfendes Recht）であるということである[九]」といっている。

シェーンフェルトが「法は裁くことによって妥當し、妥當することによって裁く」というとき、法の效力は裁判によって一應實證されることになるであろう。しかし、それは裁判によって終極的に完了することではない。法をめぐる鬪爭は、立法によって終了することではないように、法の效力は法への道において、したがって、その不斷の鬪爭過程において裁判によって終了することではない。このゆえに、彼は「法の效力は暫定的效力であり、一應の效力である[一〇]」という。法も法の效力も、法への道における現實にほかならず、この道において法をめぐる鬪爭が不斷に展開されるのであり、法はこの鬪爭を通じて生成するのである。したがって、法の效力はそのときそのときに確證されながら、しかも、結局は「一應の效力」でしかありえないであろう。

そして、法をめぐる鬪爭は正當性をめぐる鬪爭であるように、法の效力はこの正當性の現實的機能にほかならない。彼が「法とは實定化された正當性である」といい、また「法は現實のなかで妥當するとともに、現實のために妥當する」というとき、それは同時に、法の效力のことでもある。法の效力は現實のなかに見いだされる機能であり、その限りにおいて、いわゆる實效性（Wirklichkeit）であるが、また、現實のために見いだされるのであり、その限りにおいて、現實を越え、いわゆる妥當性（Gültigkeit）にほかならない。法が法への道にあるものとして、正當性と實定性の相互制約關係において生成するように、法の效力もこの相互制約關係をはなれてあることができない。彼にとって、法とその效力とは相互に抽離して考えられない。彼にとって、畢竟、法とは效力にある法にほかならず、法の效力とは現實的機能の側面から見た法にほかならないであろう。とともに、法とは實定化された正當性であり、「時間と空間における正義」である。そこに、われわれは歴史學派とイェリングとカント派的理想主義の思想の渾然たる統合を見ることができるであろう。

（一）Die logische Struktur, S. 64.
（二）a. a. O. S. 64 f.
（三）a. a. O. S. 49.
（四）a. a. O. S. 50.
（五）a. a. O. S. 65.
（六）a. a. O. S. 51.
（七）a. a. O. S. 65.
（八）a. a. O. S. 66.
（九）a. a. O. S. 68.
（一〇）a. a. O. S. 68.

九　正當性の根據としてのロゴスとエトス

法は正當性を缺くことができず、その實定性のうちにも正當性の制約がある。實定法は實定化された正當性であり、時間と空間における、したがって、歷史における正義である。しかし、實定化された正當性は純粹ではなく、絕對的ではない。それは相對的正當性であり、したがって、相對的不正當性でもある。歷史における正義は同時に相對的に不正義でもある。絕對に正なる法はありえないが、また、絕對に不正なる法もありえない。法の正當性は相對的である。

しかし、相對的正當性はそれ自體に根據をもつことができない。そうであれば、相對的者がそのまま絕對的者になるからである。相對的正當性は單に正當性の要求であるにすぎない。しかし、それが正當性の要求であるために、普遍的正當性のうちに、それの根據をもたなければならず、普遍的正的者によって底礎されていなければならない。相對的正當性も正當性である限り、その正當性の要求に根據がなければならない。そして、その根據であり、それを底礎するものは、再び相對的者ではありえないであろう。シェーンフェルトはこのような根據をロゴスに求め、それについて銳い論理を展開している。

彼にとって、ロゴスは「考えうるもののすべて」であり、したがって「可想的者の全體」(das All des Denkbares) である。それの外には何ものも考えられえないから、それの外には何ものもない。したがって、ロゴスは時間のなかにあるのではなく、時間がロゴスのなかにある。したがって、はじめにロゴスがあり、ロゴスが發端である。それはまたそれの外に關係すべき何ものもないから絶對的者である。しかし、ロゴスが絶對的であるとすれば、それは可想的者とともに、思惟そのものをも含む。けだし、思惟のなかに現われないものは可想的者でありえず、思惟なくして可想的者はありえないからである。可想的者なくして思惟はないが、思惟なくして可想的者はない。ゆえに、ロゴスは「思惟する可想的者の全體」(das All des denkenden Denkbares) であり、普遍であるとともに、普遍的思惟であり、客觀性であるとともに主觀性であり、對象性であるとともに自我性であり、」また「世界全體であるとともに世界理性である。」(一)とシェーンフェルトはいう。

シェーンフェルトは更に追究する。ロゴスが絶對的可想的者であるとすれば、それは絶對的可能性でもある。そして、現實は可能的者の現實化したものとして、一つの可能的者であり、このようなものとして可能的者一般にもとづく。現實的者は可能的者でなければ現實的者でありえなかったであろう。したがって、可能的者は現實的者の條件である。現實的者は制約された可能的者として、つねに一つの可能的者であり、このようなものとして、可能的者一般にもとづき、可能的者一般に屬する。したがって、ロゴスは絶對的可能性と絶對的現實性との統一である。のみならず、ロゴスは絶對的必然性でもある。絶對的者の外に何ものも考えられないとすれば、それはそのあるがごとくにのみありえ、他ではありえないからである。しかし、現實的者は制約された可能的者として、單に一つの可能的者であり、したがって、單に一つの必然的者であって、決して必然的者一般ではない。制約された可能性としての現實性は一つの可能性であるが、それはまたそのようなものとして、可能性の他者でもある。現實性をして可能性の他者たらしめるもの、したがって、その制約をなすものは、普遍的ロゴスの行でなければならない。けだし、それも可想的者のなかになければならない限り、ロゴスそのものの働きでなければならないからである。このゆえに、シェーンフェルトにとって、絶對理性としてのロゴスはその働きにおいて、實踐理性と理論理性との二つの性格をもつ。「ロゴスは思惟することにおいて實踐的であり、みずからを思惟することにおいて理論的である」[二]。

さて、ロゴスが可想的者の全體であり、したがって、可能的者の全體であるとすれば、可能的者はロゴスに屬するものとして、合理的者でなければならない。他面においてしかし、制約された可能的者として、現實的者はつねに相對的であり、現實的思惟もそれ自體現實的者であるがゆえに、相對的である。したがって、現實的者は現實的思惟にとって、つねに、合理的であるとともに不合理的である。現實的者は合理的であるという命題とともに、その逆の命題も妥當する。それは絶對的に不合理的であるのではない。もしそうであれば、それは絶對的者から逸脱するから。しかし、それはまた絶對的に合理的であるのでもない。もしそうであれば、それは絶對的者と合一するから。現實的者は相對的に合理的であり、したがって、相對的に不合理的である。現實的者はつねにこの兩極の間にあり、いずれか一方ではなく、つねに兩者であり、決して純粹ではなく、つねに分裂であり、自己みずからの反對でもある。このゆえに、現實的者はつねにみずからを越えて新たな第三者にむかう運動であるとともに、現實的者のもとにおいては絶對的對立はなく、つねに相對的對立のみがある[三]、とシェーンフェルトは考える。

しかし、他面において絶對的者は超越的に現實的者の彼岸にあるのではない。彼岸にあればそれは絶對的ではないであろうから。それは現實的者と合一するがごとくに現實的者のなかにあるのでもない。もしそうであれば、現實的者もまた絶對的であるだろうから。むしろ、現實的者は絶對的者の部分として絶對的者のなかにあり、このゆえに、絶對的でなく相對的である。(四)

ところで、絶對的者が自己みずからを思惟する可想的者であり、したがって、對象性であるとともに自我性であるとすれば、それは對象と自我とを底礎するものでもある。自我はみずからを知ることによって自我性の條件を充足するのであり、對象は何ものかであることによって對象性の條件を充足する。對象はみずからを知らないから自我ではなく、自我はみずからを知るがゆえに對象ではない。このようにして、ロゴスは對象論理と自我論理に分別されるが、自我と對象とは排斥しあいながら無關係ではありえない。相互に對立するからだけではなく、自我がみずからを知ることにおいて何ものかを知るのであり、かくて、自我にも對象的側面が認められるからである。このようにして、對象と自我がともにロゴスによって制約されるとすれば、それらは相對的であって絶對的ではない、とシェーンフェルトはいう。對象であり自我であることは、したがって、相對的であり現實的であることである。このゆえに、絶對的者は嚴密な意味において對象でもなく自我でもない。それは現實的、したがって、可能的對象および自我の論理的條件である。このゆえに、シェーンフェルトにとって、現實的者は事實であるが、單なる事實ではなく可能的者のなかにもとづき、そのゆえに、いかなる現實もわれわれに直接に與えられているものではなく、現實的者を把捉するということは、それの可能性お

よび必然性の問題を解明することにほかならない。(五)
　絶對的知は絶對的眞理であり絶對的確實性である。しかし、相對的不眞理、相對的不確實性、すなわち、誤謬と疑惑は、絶對的者によって制約されたものとしての、相對的自我の思惟態様に關係することである。自我は相對的に眞に、したがって、相對的に不眞に思惟し、相對的に確實に、したがって、相對的に不確實に思惟する。自我は誤り惑うのであり、いかなる自我も世界について知れることを誤りや惑いなしには知らない。われわれの現實的知は絶對的知ではないから、それが普遍的知と合致するかどうかを斷定しえない。われわれの考える最も確實な眞理といえども、眞理の要求であって、誤謬でありうる。しかし、とシェーンフェルトはいう、たとえ、われわれが全的に眞なるもの、全的に確實なるものをもたないとしても、しかも、われわれはこれに志向する。われわれは、たとえ理性として絶對的者を知るとはいっても、自我としてつねに相對界にとどまるがゆえに、個々の眞理要求は開かれたる體系において檢證されなければならない、と。(六)そして、彼にとって、個々の眞理要求がそこで檢證されなければならない「開かれたる體系」(offenes System)というのは、結局、「世界史の法廷」ということにほかならないであろう。
　ところで、ロゴスは單に對象論理および自我論理をのみならず、正的者の論理(Logik des Richtiges)をも底礎しなければならない。眞理は基礎を與えるが、要求をしない。眞理は義務づけの意味においての當爲ではなく、基礎づけの意味においての當爲である。眞理において思惟する者は、彼が思惟すべきがごとくに思惟する。眞理は理論的または論理的正當性の原理であり、基礎づけの法則であり、「思想の規範」（Norm des Gedachtes）である。しかし、それとともに思惟の規範（Norm des Denkens）でもある。けだし、思惟と思想とは相關的であるから。

のみならず、思惟は單に思想とのみ關係するのではない、とシェーンフェルトは考える。思想は Theorie であるが、思惟は Theorie ではなく、Theoretik であり、努力であり働きである。いいかえれば、思惟は實踐であり行爲である。もちろん、言葉の通常の意味において思惟はいまだ行爲ではない。ひとは手で思惟せずに頭で思惟する。しかし、ひとは手をもって行爲するが、手のみではなく、頭をももちいて行爲する。意識を失って思惟することを停止すれば一般にひとは行爲しえない。意識の停止とともに「私の肉體」であることを停止した肉體の上に、この間に起ったことは私の自我の行爲ではなく、一つの肉體的なものの運動であり、對象論理に屬して自我論理に屬するのではない。このようにして、思惟なくして行爲はなく、行爲なくして思惟はない。行爲なき思惟の虛點には、他方において思惟なき行爲の虛點が對應し、この兩極の間にすべての思惟する行爲および行爲する思惟が介在している。しかし、思惟および熟慮の運動を克服して決意にまでいたるときにはじめて、行爲が正しく本來の行爲である。そのゆえに、行爲は本質的に意欲であるが、思惟なくして意欲はない。したがって、意欲も思惟を伴う限り、直接にではなく間接にではあるが、眞理に關係をもつ。自我が思惟において思惟の規範に、したがって、眞理の規範にしたがうとすれば、思惟と意欲の相互關連において、意欲に對しても同様のことが妥當しなければならない。そうでなければ、欲しながら考え、考えながら欲する自我の統一性は瓦解するであろう。このようにして、シェーンフェルトにとって、理論理性と實踐理性とは絶對理性の兩面である。絶對理性は思惟すべきがごとくに思惟し、行爲すべきがごとくに行爲しながら、つねに自己みずからにおいてあり、絶對的正當性の原理である。これによって制約される現實的理性も、單に理論においてのみならず、實踐においてもまた、正當性に關係しなければならない。このようにして、自我はあるものを解明しようとすれば、眞に思惟すべきであるのみならず、一般にいかに正しく行爲すべきかを解明すべきである。自我はこれにまで義務づけられており、そこにエトスとしての絶對的者が見られる。絶對的者は基礎づけることによってロゴスであり、義務づけることによってエトスである。いな、エトスは實踐的側面におけるロゴスにほかならない。(七)

もちろん、われわれは眞理のあることを知るにかかわらず、何が眞理であるかを誤りや惑いなしには知らない。同樣に、善のあることを前提しながら、何が善であるかを誤りや惑いなしには知らない。現實的良心は絶對的良心ではないから、必然的に誤・惑的である。しかし、とシェーンフェルトはいう、現實的知がその時代の「全體知」(Gesamtwissen) のなかに、したがって、學問のなかに、たとえその根據をではなくても、その據點 (Halt) を見いだすように、現實的良心もまたその時代の「全體良心」(Gesamtgewissen) のなかに、すなわち、モラルのなかにそれを見いだす、と。彼にとって「全體知」そのものが眞であるのでないように、「全體良心」そのものが善であるのではない。學問は基礎づけるのではなく、基礎づけられたもの、すなわち、眞的者を主張するのであり、同樣に、モラルは義務づけるのではなく、義務づけられたもの、すなわち、善的者を主張するのである。

學問は眞的者の理説であり、眞理ではなく、眞理要求である。モラルは善的者の訓戒であり、當爲ではなく、當爲要求である。眞および善は一つであるが、學およびモラルは多數である。眞および善は絶對的であるが、學およびモラルは相對的である。このゆえに、各民族により各個人によって高低様様のモラルがあり、新たなモラルの宣言、古きモラルへの反抗がある。一個人の知および良心が全體の知および良心よりもより高くより深くありうる、と彼はいう。(八)

絶對的者はそれの外に何ものも考えられないから、そのあるべきがごとくにあり、したがって、絶對的當爲であるとともに、絶對的存在である。そうであるとすれば、絶對的者によって制約される現實的者は一方では同時に存在および當爲によって制約され、しかし、他方ではすべてにおいて、そのあるべきがごとくにあるのではないであろう。いいかえれば、對象は知の客體であり、自我は知の主體であるのみではなく、それらは同時に、知の課題でもある。それらは與えられているのではなく、課せられているのであり、自我はみずからのため、また、その道義性のために闘うべきであるように、對象のために、その眞理性のために闘うべきである。現實的認識は決して絶對的に眞ではなく、現實的意欲は決して絶對的に善ではない。自我は被制約的者として相對的であり、絶對的者に志向し、絶對的者によって正される。絶對的者は無終の課題として彼に對立している。彼は相對的者でありながら、絶對的者のなかにあることのゆえに意味をもつ。眞善美の理念は自我に對して絶對的に超越的ではなく、絶對的に内在的でもない。彼がそれをもつとともに、それをもたないということが、すべての努力の意義をなすのである。絶對的規範としての理念が相對的實現を要求するとすれば、それは時空間においてのみ、また、自我の媒介によってのみ、實現されることができる。したがって、理念を實現する行爲はつねに自然のなかにあり、それの有體性と結びつく。體なくして行爲はないが、自我なくしても行爲はない。現實的自我は自然のなかにあるが、みずからを知るがゆえにそれ自體は自然ではない。このゆえに、何人も自我を感覺的に知覺しない。理念に志向する自我の行爲によって實現されるものも、感覺的自然のなかにありながら、自然ではない。それは必然的に有體的であり素材的である限りにおいて自然のなかにあるが、また、必然的に Ich-haft であり Ideen-haft である限りにおいて、自然を越える。このようにして自我の行爲によって實現されたものは單に自然でも自我でも理念でもなく、それらの不可分の三位一體であり、これをシェーンフェルトは「意味または精神」と呼ぶ。自我の行爲に媒介される現實的者には、一方では自然への、他方では自我および理念への、奪うべからざる關連が、たとえ明示されなくても、暗示されている。文化は道德や學問や藝術の形態における理念の現實であり、そのようなものとして、「自然の精神化」でもある、とシェーンフェルトはいう。文化が自我の行爲に媒介される「自然の精神化」であるとすれば、自我は汝を、したがって、「我々」を前提するから、文化は必然的に文化社會であり、また、必然的に歷史である。けだし、文化においてはすべてが自我によって獲得されるのであり、そして、自我のみが自己みずからを知ることによって過去をもち、そして、過去をもつことなくして、歷史はありえないからである。(九)

（一） Die logische Struktur, S. 17.

（二）a. a. O. S. 17 f.
（三）a. a. O. S. 22.
（四）a. a. O. S. 24.
（五）a. a. O. S. 25 f.
（六）a. a. O. S. 26 ff.
（七）a. a. O. S. 30 f.
（八）a. a. O. S. 31 ff.

一〇　むすび

自然法または理性法はないが、法的者の條件として法の理性はなければならない。しかし、法の理性そのものは法ではない。したがって、法は數學のように純粋に理念的對象の領域には屬しない。むしろ、法は實定化された法理性であり、法理念の現實である。したがって、法は必然的に文化に屬し、その現實は自然現實ではなく、文化現實である。ひとは法を感性的に知覺することができない。しかし、文化が精神化された自然であるように、法は自然との關係なくしてありえない。自然法則的にありえないことについて、あるべしというのは、無意味であるのみならず、沒良心的でもある。夏期時間は自然の時間と異るが、しかも、無關係ではありえず、法的因果關係は自然的因果關係と必ずしも同一でないが、無關係ではありえない。むしろ、法的概念はモディファイされた自然概念である。このゆえに、われわれは感性をもって法を知覚しえないが、また、感性なくしてもこれを經驗しえない。精神はそれを通じて自己を現わす體なくしてありえない。法もまた、行爲、言葉、または、記號のなかに現われなければならない。言葉なくして法はありえないのである。法は文化に屬するが、文化はすべて、精神化された自然であるからである。

自然の精神化は自我の行爲の媒介による理念の現實化である。法も文化に屬するものとして、法理念の現實化であるが、そのゆえに、その正當性は相對的であるとともに、その現實化のために、鬪爭をまぬがれない。法のための鬪爭は、一面において力のための鬪爭であるとともに、他面において正當性のための鬪爭でもある。しかも、力のための鬪爭をして、法のための鬪爭たらしめるものは、法的者の條件としての正當性である。鬪爭を通じて歴史のなかに實定化された正當性が法であるであろう。このゆえに、法の正當性は相對的であるが、相對的正當性は正當性として絶對的者のうちに根據をもたなければならない。シェーンフェルトはこれをロゴスの絶對的正當性にもとめたのである。彼にとって、ロゴスは可想的者の全體であり、世界であるとともに世界理性である。それはそれ自體の外に何ものをも考えられえないから、それ自體の外に何ものもなく、したがって、普遍的可能性であるとともに、普遍的必然性である。そのようなものとして、それはあるべきがごとくにある。そして、絶對的意味において正的者とは、そのあるべきがごとくにあるものにほかならないだろうから、ロゴスはまた絶對的正當性であり、このようなものとして法的正當性を底礎するのである。シェーンフェルトにとって、相對的者をのみ見、これにのみとどまる相對主義は、そのゆえに却って、相對的者を絶對化する悪しき絶對主義である。絶對的者の要請は相對的者を相對的者たらしめる論理的條件である。しかし、ロゴスの絶對的正當性は、相對的な現實的知の對象ではない。したがって、相對的な法の正當性のロゴスによる底礎關係も、そのものとして現實的知の對象ではない。現實的思惟は誤りと惑いを宿命づけられており、その見いだし實現する正當性は相對的に不正當性でもある。このゆえに、シェーンフェルトにとって、法はいかなる意味においても、靜止ではなく、過程である。法であることは法への道にあることであり、法の效力とは法理念への道中にあることである。文化のすべてと同様に、法も課題を負いながらあるものとして、存在であるとともに、課題でもある。同時に他面において、法の正當性は不斷に「開かれたる體系」において檢證されなければならない、というのである。彼にとって、學は歴史における「全體知」であり、モラルは歴史における「全體良心」であるが、それらは一個人の現實的知および良心よりも、必ずしも高く深いのではない。そして、法の相對的正當性を制約するものが、このような「全體知」であり、「全體良心」であるとすれば、法の正當性を檢證する「開かれたる體系」というのは、彼にとっても、「歴史の法廷」を意味することになるであろう。したがって、法の正當性は不斷に歴史の法廷において審判されなければならない、というのである。しかも、それが彼において歴史的相對主義でないことを、注意しなければならない。

曾て、ヴィコは歴史を神の攝理の進展過程と見たが、シェーンフェルトにとって、ロゴスは歴史の條件である、とともに歴史において現實化する。そして、彼は「はじめにロゴスがあった。それは世界の初りである。そして、神はロゴスであった。それは世界の終りである。神の理念が端緒であり終極である」といい、また、文化は無終の課題を負わされている。そのゆえに「文化は一つの不可避的天罰であり、」このゆえに「文化は終極的者ではありえず」終極的者として宗教を求める。「宗教は運動のあらゆる分裂を神にまでもちこむことによって、これを療やし神聖化する」ともいっている。（一）また、「世界はそのすべての現象において唯一的者すなわち神の現象である。神は最高の現實である。……法の現實は神の現實である。」（二）ともいっている。このゆえに、彼にとって「認識においてわれわれは、そこにみずからを啓示する神を見る」（三）のであるとともに、「法秩序の論理的構造は終極において mythologisch である。Mysteriums の論理が Mythos であるから」（四）である。けだし、彼にとって、「精神は ein Mysterium であり、暗き祕密であり、ひとはこれを beleuchten するが、durchleuchten することができず、觀照し理解するが、説明することができない。世界は不合理的でもありながら、合理的である。このゆえに、世界を把捉することは、それをその不可捉性において把捉することである。法もまた精神であるがゆえに、終極最奥の根柢において不可捉的である」（五）からである。

歴史とともに法もその終極最奥の根柢において不可捉的であり、理論はそこにその限界を見いださなければならないであろう。シェーンフェルトは「運動のあらゆる分裂を神にまでもちこむことによって、これを療やし神聖化する」ことを求めたが、神にまでもちこむ前に、歴史の法廷において闘うべきではあるまいか。終極において審くものは神であるとしても、われわれの爲すべきことは、審きの神にすがることではなく、その法廷において合理性と正當性のために闘うことであると考える。その最も基本的な點においてシェーンフェルトに追隨することができないが、その鋭い理論の展開には、教えられるところ多大であるといわなければならない。

（一）Die logische Struktur, S. 34.
（二）Von Rechtserkenntnis, S. 66.
（三）a. a. O. S. 99.
（四）Die logische Struktur, S. 80.
（五）a. a. O. S. 80.

第三章　自然法と歴史法

一　自然法と歴史法

「法哲學はその發端以來、十九世紀の初めにいたるまで、すべて自然法論であった」とラードブルッフがいっているように、（一）自然法の思想はすでにギリシアのソフィストにはじまり、ギリシアの哲學者からローマの法學者、中世紀の教會學者を經て、近代にまでおよび、十九世紀には歴史法學の擡頭によって一時中斷されながらも、二十世紀にはいって再びその復活・再生が叫ばれたのであって、（二）自然法は法思想史を通じて貫流する最も根づよい思想潮流である。

ソフィストたちはその徹底した相對主義の立場から、あらゆる價値の相對性を主張したが、ノモス（Nomos）の相對性を説くにあたって、彼らはしばしばフィュジス（Physis）の絶對性をひきあいにだし、これとの對照において、ノモスの相對性を説くのであった。例えば、プロタゴラスやヒッピアスやアンティフォンは、ノモスの相對性を論じ、これと對立して絶對的妥當性をもつものとして、フイュジスを説いた。彼らにおいては、それにしたがうことが自然必然的に福利をもたらし、それに違反することが自然必然的に苦痛や不快をもたらすところの、何らか自然法則的なものが、絶對的規範として考えられていたのである。自然法の思想は現實の制度や傳來の諸規範に對して懷疑的な、したがってまた、批判的な眼がむけられるにいたったとき、もしくは、個々の實定規範をもって人爲的なもの、したがって、相對的なものと考えるにいたったとき、より高き法に反するものとして認識するにいたったときに、はじめて生じたことである。今まで盲目的・無自覺的に信奉してきた傳來の支配的諸規範の權威に對する懷疑が、批判的反省への促因であったが、この促因に促がされて、新しきものの建設をではなく、むしろ、古き傳統的諸規範の權威の破壞をなしたのが、ギリシアにおいて、まずソフィストたちであった。彼らは破壞的思想の擔い手として說かれるのが普通であるが、しかし、彼らの破壞的思想の根柢には、たとえ萠芽的にすぎないにもせよ、自然法思想がすでに芽ばえていたのである。自然法の思想にとっては、實定規範の相對性の認識が前提をなすのであり、ソフィストの破壞的思想はこの面において、歴史的に大きな役割を演じたのである。自然法思想は實定法の相對性の認識とともに、これに對して、多かれ少かれ、批判主義的であり、批判の基準たり據點たるものとして要請されるのが、絶對普遍的な自然法であった。アントン・メンガーが、社會的進步的分子はつねに自然法說に與みする傾向を示した、といっているのは、(三)十七・八世紀の自然法についてと同樣に、紀元前四・五世紀のギリシアの自然法についても認められるであろう。(四)それは自然法のもつ批判主義にもとづくことである。

プラトーンにとっては、一般的にイデアが現象の世界を越えた眞實在の世界であったが、アリストテレスにおいても「自然による正義」(dikaion physikon)と「ノモスによる正義」(dikaion nomikon)とが區別され、「自然による正義」が「いたるところにおいて同一の妥當性をもち、正しいと考えられていると否とにかかわらない」のに對して、「ノモスによる正義」は「かくあっても、または、それ以外の仕方においてあっても、元來は一向に差支えないのであるが、一たんひとびとがこうと定めたときには、そうでなくては差支えを生ずるごときそれである」と説かれるのである。(五) ローマではウルピアヌスもユスチニアヌスも自然法を説き、ことに ius gentium の發展には自然法の思想が密接な關係をもっている。中世紀にはアウグスチヌスやトマス・アキナスのような教父およびスコラ學者も自然法を説き、メランヒトンやヘミングセンのような宗教改革のひとびともこれを説いて、近代にまでいたったのである。(六)

近代が國家や法を神の權威から解放して人間のものにした時代といわれているが、そこで自然法が中世紀の教父やスコラ學者におけるように神の法に從屬して人の法と神の法とを媒介する地位にあったのから脱却し、人間のものになるとともに、人間の國家や法の終極の根源であり權威の源であることになったのである。グローチウスが、假りに神が人事に關掌しないという許すべからざる假定を許したとしても、自然法は依然として認められなければならない、といったことは有名であるが、(七) 彼は自然法を神の權威から解放して、人間理性のものにし近代化したことにおいて、偉大な歴史的功績をもつのである。中世紀を通じて長い間、國家相互間を調制する規範は教會の權威にもとづいていたが、教會の權威の崩壞したのちにおいて、あらゆる規範の根源はもはやそこに求められえなかったのであり、グローチウスは國際法の新たな權威の源を求めて、人間理性の命令としての自然法によったのである。グローチウス以後の自然法學者はいずれも、自然法をもって人間理性の命令であるとし、これにあらゆる實定的規範の權威の源を見いだした。このゆえに、近代の自然法を特徴づけるものは、その絕對的合理主義であった。彼らは自然法を理性の命令と見ることに出發して、理性的必然性をもって演繹されるところに自然法の內容的諸原則を見いだし、それが理性的必然性であるがゆえに、永久不變の效力をもつものと考えたのである。したがって、彼らにとって自然法の效力は、その現實的實效性においてではなく、もっぱら、その理念的妥當性において見いだされるべきものであった。(八)

自然法は相對的な現實の實定法に優越する不變的な權威として要請される法である。したがって、自然法論は法二元論の立場に立つとともに、實定法に對する批判主義であり、このゆえに、理想主義の傾向をもつ。プラトーンはイデアを眞實在の世界としたが、自然法學者には多かれ少かれ不變の自然法を眞の法とし、變轉する實定法を假象の法とする傾向がある。實定法は自然法に從屬するがゆえに、自然法に反する限りにおいて無效であるとされるが、また、立法は自然法を認識して、これに明文の規定をあたえる機能であるともされる。このゆえに、立法が自然法の認識として充分の自信をもつ限りにおいては、その制定した法規そのものを自然法の具體的表現として、それに不變的效力を要求することにもなる。實際に、近代の自然法は批判的指導理念たることを越えて、その內容的認識にもとづいて、みずから內容的體系を形成し、それが近代法典および近代法學の原型ともなったのである。近代初めの諸法典は、自然法の內容的認識にもとづいて、それを明文化したものとして制定され、そのゆえに、不變的效力を要求したのであったが、それはもはや、自然法そのものの逸脫であり、自然法みずから自己矛盾に墮したことを示すものでもあった。けだし、自然法の前提する法二元論がそれによって止揚され、自然法の本質たる批判主義が排棄されることになるからであり、また、それによって自然法の名において實定法に歷史を越えた不變的效力を要求するという重大な誤謬を犯すことになるからである。自然法に對する非難のほとんどすべては、この點にむけられている。

歷史法學はこのような自然法學に對する反動として起ったが、(九)すべての法が歷史的に制約され、民族の歷史的な現實生活のなかにおいて、言語や習俗と同樣に、おのずからに生成するものであることを唱えたのである。ザヴィニーはつぎのようにいっている。「これまでドイツの法律家たちのあいだに支配してきた種々の見解や方法を詳細に考察した者は、それが二つの主な部類に歸屬せしめられることを見いだすであろう。その一派は歷史學派の名によって充分に特徵づけられることができるし、他のものはこれをわれわれは單的に非歷史學派と呼ぶであろう。前者は、法の素材が國民の全過去によってあたえられること、しかも、それが偶然に、これ、または、他でありうるように、恣意によってではなく、國民自身およびその歷史の最も深い本質から發するものであること、を認める。後者は、法が各瞬間において立法權を賦與されたひとによって任意に、過去の時代の法とは全く獨立に、單に現在の瞬間にのみかかわる最善の確信にしたがって、もたらされるものと考える」(一〇)と。そして、彼はその「非歴史學派」を排斥して、歴史法が唯一の法であることを主張した。歴史學派から見られる自然法は、シュタールによってよく描寫されている。「自然法は當該民族の他のすべての存在と少しも關係するところのない一般的な抽象的な原理にもとづいて打ち建てられている。そして、あらゆる時代のために、理性必然的として完了的な、何らの進歩をも容れない法を要求する。偏見なきすべての者に明かでなければならない自然法の最も深刻な不眞理は、それが生活關係の內在的本質に對して全く無關心であることである。生活關係のこの本質は倫理にとって原理であるとともに、法にとっても原理である。法はそれに適應して生活關係を形成する度合において理性的である。ところで、自然法にとって生活關係のこの內奧の本質は全く存在しないのであり、それはいたるところつねに人間の自由をのみ基準とする。自然法の全企圖は、生活關係の本質のなかに存する眞の客觀的生活秩序を無視し、このような秩序を單に自然からのみみちびきだすことにある。その結果はこの秩序の破壞よりほかのことではありえない」（一一）と。

歴史法學派には哲學的基礎がないと、しばしば、いわれる。しかしながら、この點については「歴史法學の基礎理論は一つの法哲學である」というシュタムラーの評價が正しいであろう（一二）。ザヴィニーおよびプフタの主要問題としたものは、法の發生論であった。しかし、その態度は單純に歴史的であって非哲學的または反哲學的であったのではない。彼らは自然法學的演繹に反對して、歴史的方法を強調したのではあるが、彼らの歴史的方法をもって直ちに非哲學的とすることは、不當であるであろう。歴史的方法ということは、單純な事實の確定およびその羅列にとどまることを意味するものではない。彼らにとっては、法の歴史的發生はその恣意的發生に對立するものであり、法の發生論において彼らの反對したものは、法を主觀的理性にもとづけ、先驗的法概念に出發して、法を全く抽象的に演繹しようとする自然法の考え方である。彼らにとって、法は民族の歴史の最も深い本質から内面的必然性をもって發生するのであり、歴史法學はこのような本質を洞察しなければならない、というのである。そこには歴史的方法とともに、哲學的態度がすでに要求されている。ザヴィニー自身が諸學派の傾向を「歴史的」と「哲學的」との對立とせずに、「歴史的」と「非歴史的」との對立として指摘していることが、注意されなければならない。(一三) 法源論を主要問題としてとりあげ、これを歴史的、と同時にまた、哲學的に考察したことにこそ、歴史法學の功績があった。このゆえに、歴史法學は自然法學を克服せずして、かえって、それを發展させたものである、と見るひとびともあるが、(一四) それはまた誇張に失するであろう。歴史法學が自然法學への反動として起ったこと、自然法學の合理主義に對して、ロマン主義がそれの母胎であったこと、自然法の個人主義に對して、民族主義がそれの基底であったことは、否定されえないと考える。

歴史法學派は法の現實性に着眼した。彼らの求めたものは法の理念的合理性ではなく、現實的卽實性であり、その有機的生命性である。されば、彼らは法をつねに現實的なもの、現實の地盤に行われるものとして見た。したがって、彼らにとって「實現しない法は法ではない」のである。いいかえれば、彼らにとって法の本質は理念的合理性にではなく、現實的機能性に、したがって、效力にあった。法の本質は機能または效力とはなれて見られるべきではない。しかも、彼らにとって理念的妥當性としての效力ではなく、現實的實效性としての效力が、法の本質をなすのである。このゆえに、彼らにとって法の發生の問題は、效力をもつものとしての法の發生の問題であり、法の效力と異った他の問題ではなかった。ひとはしばしば法源の問題について「法の內容の淵源」と「法の效力の淵源」とを分別し、これを分別する立場から歷史法學の一元的見解を批判するのであるが、それは法の人爲的技術性を重視する立場に立つものである。歷史法學のひとびとは、法の有機的生命性を重視し、したがって、慣習法を原初的な第一次的な法と見た。彼らはこの見地から制定法および法曹法の根柢にも、有機的生命性を見ようとし、このゆえに、立法者および法律家をも「民族の機關」(Organ des Volkes)と呼び(一五)、あるいは、民族精神の發現する「道」または“Media”とも呼んだ(一六)。法は作られるものではなく、成るものであり、成るものとして見いだされるべきものである、とするのが歷史法の本質的特徴である。

　歷史法學のひとびとが法の現實的卽實性に着眼したとはいっても、法は單に事實的なものにつきるものではない。彼らにとっても、法の本質は單に事實的なものではなく、精神的なものであった。民族精神があらゆる法の固有の淵源であったのである。慣習法は慣行の事實において現象し、これを媒介として認識されるが、慣行の事實そのものは慣習法の發生形式であり、それの本源たり本質たるものは、民族精神である。彼らは慣行の事實の奧にこれを慣行たらしめている精神を見たのである。單なる事實が法を生ぜしめるのではなく、慣行の事實において現われる精神が法であり、歷史法の本質も精神にあったのである。

しかし、單に精神ではなく、民族精神にしてはじめて現實性をもつ。彼らにとって、現實的な法の本質は民族精神にあった。それは民族成員に共通の確信として彼らの行動を內から制約し、それに制約された彼らの行動において發現し現象する。慣習法におけるように直接的に發現すると、あるいは、制定法および法曹法におけるように「民族の機關」としての立法者および法曹を媒介として間接的に發現するとを問わず、法の本源は民族精神にあったのである。

歷史法學のひとびとは、歷史法の本質として、民族精神をはなはだ重視した。その結果、彼らが自然法學を形而上學的態度として非難したように、ひとはしばしば歷史法學のひとびとが民族精神を形而上學的なものにまで祭りあげたと非難する。しかし、彼らはあくまでも現實主義であろうとした。されば、彼らにおいて民族精神は「民族の活動」(Betätigung des Volkes) とも同視されたのである。(一七) 全體としての民族はその成員に對して不斷に働きかけている。その成員に對するこのような働きかけをはなれて民族はない。しかも、この働きかけは本質的には精神的なものである。民族成員各個の意識のうちに宿りながら、しかも、客觀的なものとして彼らの行動を內から制約する。それが民族精神であり、「民族の活動」である。民族精神は「民族の活動」であるとともに、民族の本質でもある。もちろん、民族、したがって、民族精神には、自然的および歷史的根柢がある。いいかえれば、民族成員をしてその意識のうちに客觀的共通的なものを宿らしめるにいたる自然的および歷史的促因がある。歷史法學のひとびとは、一定の土地との結合、共通の血統、共通の生活、共通の歷史的宿命、などを民族の根柢とし、このゆえに、民族を「自然的統一體」とも呼んだ。(一八) しかし、彼らにとって「自然的統一體」としての民族の本質をなすものは、民族精神であった。いいかえれば、このような自然的および歴史的根柢のうえに共同の生活をいとなむひとびとの意識のうちにおける統一的な精神的な働きかけであった。彼らにとって、民族精神は、「民族の活動」、すなわち民族の働きかけであり、この精神的な働きかけをはなれて民族はない。民族はその成員を越えてその外にあるのではなく、その心のうちに生きて働きかけながら在るのである。歴史法學派の法人擬制説は有名であるが、彼らは法人を實體的な實在として見ることを拒否した。それの統一性は實體的實在性において見いだされない。實體的な實在性は個人にのみ屬する。法人といえども、個人を通して統一的に意思し、個人を通して統一的に活動する。意思し活動するのは個人であり、ただ、その統一的意味が法人に歸屬せしめられる。このゆえに、彼らは法人擬制説を唱えた。法人の本質について擬制説を唱える彼らにとって、民族は實體的な實在として把捉されえなかった。民族は自然的統一體であるが、この自然的統一體は統一的な精神的機能として實在するのであり、そのようなものとして、現實的である。彼らにとって、民族はその成員を越えてある實體的實在ではなく、したがって、民族精神は獨自な形而上學的本體ではなかった。民族はその成員の意識のうちに不斷に働きかけるものとして精神的機能的現實であり、そのようなものとして、自然的統一體であるとともに、民族精神をその本質とするものであったのである。歴史法はこのような民族とはなれてありえず、民族精神が歴史法の本源であった。いいかえれば、歴史法は民族の機能であったのである。

歴史法の主張に對しては、その根本態度が靜觀主義（Quietismus）であるという非難がなされる。

最初にこれを非難したのはティボーであった。（一九）彼はザヴィニー、プフタの見解を、歴史的に發生したものは、そのゆえに眞理であり非難すべからずとする退嬰的な考え方であるとした。また、最も鋭く歴史法學の靜觀主義を攻撃したのは、イェリングであろう。(二〇) 彼は「權利のための鬪爭」のなかで「法の生誕は人間の生誕と同樣に、通常において激しい陣痛を伴う」といい、また「法における目的」のなかでは「目的がすべての法の創造者である」という標語をかかげている。法の自然的生成を唱える歴史法學派の主張に、イェリングは滿足できなかったのである。イェリングの主張には傾聽すべきものがある。しかし、「陣痛を伴う生誕」には、生誕すべきものがすでに生成していなければならない。生誕は歴史法學派にとって、法の發生形式の問題であって、法の發生根據の問題ではないであろう。「法のための血なまぐさき鬪爭」(イェリング)は、歴史法學派においても、法の發生形式について必ずしも否定されるものではない。立法活動も學的活動も困難な意思的活動であり、法のための鬪爭過程であるということができる。のみならず、歴史における「自然的生成」は「自然的」とはいっても、人間の不斷の營爲・努力を媒介とすることを、注意しなければならない。

ザヴィニー、プフタにとっては、言葉が代代にうけつがれ傳えられるように、法もまた、うけつがれ、守られ、傳えられてゆくのである。彼らにとって、法は民族の歴史的傳統の一面であり、民族の歴史的傳統にもとづいて生成するものであった。たしかに、歴史的なものの强調には、懷古的靜觀主義の危險性がある。また、有機的な自然的生成の主張には、人間の自由な目的活動の輕視と、「默々と作用する內面的力」にすべてを託して爲すことなき傍觀主義の危險性がある。更にまた、法の “ratio”

を排斥することによって、一般的に批判的反省の意義を看過する危險性がある。歷史學派に對する多くの批判や非難には、それぞれに根據もあり理由もなくはなかったのである。しかし、それにもかかわらず、歷史法學の主張には、學ぶべき多くのものがあり、それの功績は無視されるべきではないであろう。

ラスクはいっている「自然法は價値の絕對性から經驗的基盤を、歷史主義は經驗的基盤から價値の絕對性を、それぞれに、でっちあげようとする。自然法は價値の實體化によって經驗的なものの獨立性を全く破壞し、それによって反歷史性の缺陷に墮ちこんだ。……他方において、歷史主義はすべての哲學および世界觀を破壞した。……自然法と歷史主義とは、これに對して法哲學が警戒しなければならない二つの斷崖である(二)」と。また、ラードブルッフは、一方に自然法に對して、それが正法をもって制定法を、法價値をもって法現實を、法哲學をもって法學を、排除することになると說き、他方において、歷史法に對して「あらゆる歷史主義の誤謬は、それが歷史的認識の範疇を政治的行爲の規範にまで高めることにもとづいている」といっている(三)。たしかに、自然法と歷史法は長い法哲學思想史の諸傾向の振幅を示す兩極であり、法哲學がこれに對して警戒しなければならない二つの斷崖であるとともに、これから敎えられなければならない二つの指標でもある。法に理念的合理性への志向を否定することができないとともに、法の內容的歷史性を否定することができないからである。

(一) Radbruch, Rechtsphilosophie, 1932, S. 14.

(二) Charmont, La Renaissance du Droit Naturel, 1927; Haines, The Revival of Natural Law

Concepts, 1930; Junk, Das Problem des natürlichen Rechtes, 1912. 最近の主要なものとして、Hans Welzel, Naturrecht und materiale Gerechtigkeit, 1951; A. P. D'entrèves, Natural Law, 1951.（久保正幡譯「自然法」）; H. Mitteis, Ueber das Naturrecht, 1948; G. Stadtmüller, Das Naturrecht im Lichte der geschichtlichen Erfahrung, 1948; H. Coing, Die obersten Grundsätze des Rechts. 1947.

（三） Anton Menger, Neue Staatslehre, 1903. 河村又介譯「新國家論」三九頁。

（四） ソフィストの自然法思想については、拙稿「ソフィストの自然法思想」（早稲田法學、第一三卷所載）參照。

（五） Aristoteles, Nikomachische Ethik, V. Buch, 10. Kapitel. 高田三郎譯「ニコマコス倫理學」二五一頁。

（六） 自然法の歴史については、田中耕太郎「自然法の過去及び其の現代的意義」（法律哲學論集、二、所收）參照。

（七） Grotius, De iure belli ac pacis, prolegom. § 11.

（八） 近代の自然法學については、拙稿「自然法學派に就て」（早稲田法學、第一四卷所載）、および、拙著「近代自然法學の發展」參照。

（九） 拙稿「歴史法學派における法源論」（早稲田法學、第二二卷所載）參照。

（一〇） Savigny, In der Zeitschrift für geschichtliche Rechtswissenschaft, Bd. I, S. 1 ff.

（一一） Stahl, Rechtsphilosophie, 5. Aufl. 1870, S. 282 f.

（一二） Stammler, Ueber die Methode der geschichtlichen Rechtstheorie, 1888, S. 3.

（一三） Savigny, a. a. O. S. 1.

（一四） Stammler, a. a. O.; Bergbohm, Jurisprudenz und Rechtsphilosophie; Kantorowicz, Was ist uns Savigny?; Manigk, Savigny und der Modernismus im Recht.

（一五） Savigny, System des heut. röm. Rechts, I, S. 39.; Puchta, Pandekten, § 10.

（一六）Puchta, Lehrbuch für Institution, S. 15.
（一七）Puchta, Gewohnheitsrecht, I, S. 138.
（一八）Savigny, System des heut. röm. Rechts, I, S. 18 f.
（一九）Thibaut, Ueber die sogenannte historische und nicht-historische Rechtsschule, in Archiv f. Civ. Prax., Bd. 21, S. 408.
（二〇）Jhering, Der Kampf ums Recht; Zweck im Recht.
（二一）Lask, Rechtsphilosophie. 和田譯「ラスクの法律哲學」（早稻田法學第九卷所載）一六頁。
（二二）Radbruch, Rechtsphilosophie, 1932, S. 16 f.; Grundzüge der Rechtsphilosophie, 1914, S. 5 ff.

二　法は作られるものか、見いだされるものか

法は作られるものであるか見いだされるものであるか。この問いに對しては、自然法も歴史法も、法は見いだされるもので、作られるものではない、と答える。

自然法は人間本性としての理性のうちに、理性的思惟を媒介として見いだされるものである。したがって、自然法は合理性を本質とし、もっぱら理性的必然性、したがって、理念的妥當性のうちに、その效力を求めることになる。法の合理性を追求し、しかも、これを人間の本性にもとづくものとすることは、自然法の不滅の功績といわなければならない。法は人間存在に屬する事象として、その終極の理念的根源において、人間本性にもとづくものでなければならない。人間は神ではなく、また、野獸でもなく、一面において本能的自然存在でありながら、他面において自覺的理性存在であるこ

と、そのことを自然法のひとびとは鋭く指摘し、このような人間の存在性格に法をもとづけようとした。たしかに、法には普遍的理念的要請が內在していなければならない。これにもとづいて法の存在が終極的に合理性をもつのであり、權利づけられるのである。同時にそれは法を理念的に使命づけるものでもある。そして、法はその具體的內容において歴史的制約をまぬがれないとしても、その理念的使命において普遍的でなければならない。このような理念的要請をはなれて法はない。ラードブルッフが「法とは法價値すなわち法理念に仕えようとする意味をもつ現實である」(一)といい、ビンデルが「そこに法理念が作用するすべてのものが法である」(二)といい、シェーンフェルトが「法であることは、法への道にあることである。すなわち、われわれが正義と呼ぶところの良き裁判の理念としてのエトスによって導かれながらあることである。正義の理念なくして法はない」(三)といい、ギュルヴィッチが「法の概念は本質的に正義の理念と關連している。法はつねに正義を實現するための試みである。この試みはその具體的形態において、環境や時の種々な條件によって制約され、比較的に成功したり、しなかったりする。法はそのまとう現實の形態において、比較的に完全であったり、不完全であったりする。法は多く、または少く、墮落していることもあり、反對に、その機能に特別によく適合していることもある。しかし、もはや正義を實現するための努力として考えられえない限り、それはもはや全く法ではない」(四)といっているのは、いずれも私がここにいい表わしたい思想をより適切に表現している。自然法はこのような法における普遍的理念への志向、または、理念への普遍的志向を示唆していたのである。

法はその合理性を、したがって、その妥當性を、普遍的理念のうちに、または、普遍的理念への志向のうちに、見いださなければならない。自然法は理性的必然性のうちに見いだされるべきものとすることによって、そのことを敎えた。しかし、自然法は普遍的理念に内容をあたえ、内容的諸規定にも普遍的妥當性を要求し、これをもっぱら理性必然性のうちに見いだしうるものとした。そして、それは自然法の越權であり、重大な誤謬であったのである。ラスクはいっている。(五)「自然法的先驗論の缺點は、かの測り知るべからざる事實性の、價値によって決して隈なく照らしえない、暗黒な內容餘剩を尊重しない點、したがって、理性の要請を所與の素材に働きかける純形式的組織原理の機能に充分に限定しなかった點にある」。元來、理性の要求はその實現のために經驗的基盤を必要とし、經驗的基盤に適用されるべき形式的價値要因にすぎないものを、自然法はこれを認識せずに、かえって、理性の要求を實體化し、自足自立の現實としてしまった。理性要求のこの物體化（Verdinglichung）によって、自然法は純粹理性をもって現實にとって代ろうとした。このようにして、「現實としては餘りに抽象的であり、理念としては餘りに具體的である」ことになるとともに、非歴史的形而上學に墮するのである。

自然法は實定法に優越して時所的に不變の效力をもつものとして、理性的必然性のうちに見いだされるべきものとされたが、このゆえに、實定法の規定は自然法に反する限りにおいて無效であるとともに、自然法の內容規定を認識してこれを成文化することが、立法者の任務ともされる。このようにして、自然法の內容的認識として確信をもてる立法は、その制定した實定法規に自然法的絕對效力を要求することにもなる。ザヴィニーが近代法典の代表的なものとしてあげた、一八〇四年のナポレオン法典、一七九四年のプロシア州法、一八一一年のオーストリア民法典は、いずれもこのような自然法思想にもとづくものであった。このようにして、自然法は本來は理性的必然性のうちに見いだされるべきものであったが、十九世紀には立法および實定法の指導原理たることから一歩を轉じて、むしろ、法は作られるべきものという考え方の根據になっていたのである。このゆえに、立法による實定法規にも歴史を越えた不變的效力を要求したのである。(六)

ザヴィニーはこのような非歴史的自然法に對して歴史法を說いたのである。歴史法は言語や習俗と同樣に民族生活の歴史的現實のなかに、おのずからに生成するものである。これを作るものは立法者の創意ではなく、民族生活のなかに「默々として作用する內面的力」であるというのである。歴史法は民族生活の他の諸要因と密接に關連して、民族生活の一面であるにすぎない。このようなものとして歴史法の根源をなすものは、民族精神である。民族精神が民族をして民族たらしめているのであるとともに、民族の各成員をその內面から制約しながら、民族生活を可能ならしめているのである。したがって、民族精神は最も直接的には民族の慣行のうちに表現されており、このゆえに、歴史法の第一次的形態は慣習法である。しかるに、民族生活が複雜化するにつれて、一方において立法を必要とするにいたるとともに、他方において種々な身分の分化が生じ、曾て法がすべての民族成員の胸裡にあったものが、今や特殊の法曹階級の獨占物となるにいたる。この段階において、立法者も法曹も民族精神のこの面における機關であり、彼らによって制定される法、形成される法もまた、原則的には民族法であり、歴史法である。歴史法は立法者によって制定され、法曹によって形成される場合にも、本質的には民族精神の表現として、民族法であり、ただ、この場合に立法者や法曹という民族精神の機關の活動を媒介として現われるものとされるのである。歴史法にとっては、立法においても學的活動においても解釋においても、法は歴史のうちに見いだされるもの、ということが根本的な指導原理であった。

自然法が法の理念性を指摘したのに對して、歴史法が法の歴史性を、したがって、その實定性を指摘したことに、それの不朽の功績があるといわなければならない。法は現實の社會生活におけるひとびとに對して、規範として作用するのであり、この作用をはなれていかなる法もありえない。このゆえに、法はすべて實定法でなければならず、實定性を缺くことはできない。したがって、自然法は法の理念性を指示するものとして意義をもつが、實定法と並行してこれをば獨立の法として説いた限りにおいては、重大な誤謬であったのである。

歴史法は現實の民族生活のなかに生成する法である。したがって、歴史法にとって現實に行われないものは法ではない。曾て法であったとしても、また、將來いつか法になるであろうとしても、現在において法ではない。しかし、現在の法は現在において偶然に、または、突然に生れいでるものではなく、歴史的傳統にもとづいて生成するものであり、將來の法も歴史的傳統から獨立に全く新たなものとして生ずるのではない。このゆえに、歴史法にとって、歴史的研究をはなれて、いかなる法の研究もありえないのである。現在の最善の考慮にもとづいて法をアプリオリに作りいだしうるとする考え方を、ザヴィニーは非歴史的態度として、極力排斥したのである。

歴史法は現實に行われる法である。したがって、歴史法は法の效力を、もっぱら、その實效性において見たのであり、自然法が法の效力を、もっぱら、その妥當性に見いだしたのと、對照的である。このゆえに、法の效力を主として妥當性において見るか、あるいは、實效性において見るかにしたがって、多かれ少かれ、自然法的であるか歴史法的である、ということができる。自然法のひとびとは理性的必然性にもとづいて法の內容的規定を演繹し、それの效力を理性必然性にもとづく限りにおいて認めたことにおいて、いわば、實質的妥當性のうちに法の效力を見たものということができる。これに對して、例えばベルグボーム、ことにケルゼンにおいては、法の效力は形式的妥當性において見いだされた、ということができるであろう。ケルゼンおよびその學派のひとびとにとって、法は規範として嚴に存在と區別されるべきものであり、法は規範として上級の規範に底礎されることによって效力をもつのである。したがって、法の效力は規範の底礎關係に依存するのであるが、最高の規範としてみずから他の規範によって底礎されずに、他の規範を底礎するのみの根本規範が要請される。根本規範は根本規範のゆえに、いかなる內容をも有しない純粹形式であり、論理的要請であるとされる。このような根本規範の終極的底礎にもとづく規範の底礎關係は、純粹に論理主義的手續をもって追求される。したがって、ケルゼンにとって法の效力は形式的妥當性において見いだされなければならなかったのである。ケルゼンが實證主義を唱え、自然法を排斥したにもかかわらず、しばしば、彼みずから實定法を純化することによって、これを自然法化したといわれ、その排斥した自然法に墮したものといわれるのは、法の効力を妥當性に求め、實證主義を唱えながら、實效性を輕視したことにもとづくことである。

法の効力を主として實效性において求めるひとびとにも、これを形式的實效性に求める傾向と實質的實效性に求める傾向とを、區別することができる。法の實效性は結局において法が實際に行われることにほかならないが、法が實際に行われるということを、もっぱら裁判について見る場合に、形式的實效性を見いだすことになり、これを現實の社會生活のなかに見る場合に、實質的實效性を見いだすことになる。現行の法を單に法規の註釋によってのみではなく、裁判の判決例において見いだそうとするひとびとは、法の効力を形式的實效性において見ているのである。しかし、法は單に裁判所によって爭訟を通じて行われるだけではない。むしろ、社會生活を秩序づけるというその根本使命から見れば、法が社會生活に實際にいかに行われているかが、法の實效性の主眼點でなければならない。したがって、法の實定性にとっては、實質的實效性が主要問題でなければならないのである。このような法の實質的實效性の効力を求めた代表者は、歴史法學のひとびとである。歴史法は歴史的に實效性ある法である。歴史法にとって法は民族生活とともに發生し生成し、そして、民族がその特性を失うとともに消滅するものであったのであり、畢竟、法は民族生活の一面にほかならなかったのである。歴史法とともに、エールリッヒの唱えた「生きた法」(lebendes Recht) もまた、このような實質的實效性を主眼とする法であるであろう。

法はすべて實定法である。曾て實定法であったか、將來いつか實定法になるか、いずれにしても、實定性をはなれて法はない。このゆえに、法の效力は單に妥當性につくされるものではない。しかし、その實效性を單に形式的に求めることに滿足する限りは、法の實定性はなおいまだ中途にとどまるであろう。法の實定性は社會生活のなかに現實に行われていることであり、裁判所を通じて現われるのは、その一端であるにすぎない。けだし、ノルマルな狀態のもとにおいては、法は爭訟や裁判を通ぜずして社會生活のうちに直接に實現し、直接に行われるであろうからである。そうでなければ、社會生活の秩序はよく保たれえないであろうし、したがって、法はその使命をよく實現しえないであろう。歷史法學派は法をその實質的實效性において捉えた。いな、單に實定性ではなく、歷史性において捉えた。それは彼らの功績でなければならない。

　實定的なものは歷史的でなければならない。けだし、歷史的現實のなかに具體的存在をもつことによってのみ、實定的であるからである。したがって、存在要素を捨象して形式的妥當性のうちにのみ求められる「純粹性」は實定法ではなく、むしろ、自然法に近づくのである。實定的なものは決して純粹ではない。純粹なものによって制約されるにもかかわらず、いな、それによって制約されるからこそ、かえって、それ自體は純粹なものではありえない。「純粹法學」はその實證主義の提唱にもかかわらず、かえって、自然法學である、というヒッペルの言葉(七)を肯定することができるであろう。

　實定法は直ちに制定法と同一ではない。法と法規とは區別されなければならない。法規は法の現象形態として立法者によって作られるが、法は立法者によって作られるものではない。法と法規を同一視するひとびとのみが、法を立法者によって作られるものと見る。法について強いてその立法者を求めれば、それは歴史であるといわなければならない。そして、歴史が人間によっていとなまれるものである限りは、法の主體は人間であるということができる。しかし、法はいわゆる立法者の立法行爲によって作りだされるものではなく、歴史のうちにおいて生成するものである。その限りにおいて、法はすべて歴史法である。法の實定性は立法行爲による法の定立に依存しない。立法行爲によって定立されるものは、法規であって法ではない。法の實定性は具體的内容をもって現實に行われることであり、立法行爲の法定立によって一回的に完了することではなく、むしろ、不斷の生成過程であり、歴史現象である。法規に關する限りは、立法と司法とは根本的に異る二つの機能である。しかし、法に關する限りは、兩者に本質的差別はない。立法は法を認識し解釋してこれを制定化するが、立法によって法の生成過程は停止しない。司法は立法によってあたえられた法規を典據としながら、それを越えて法を認識し、これを適用する。このゆえに、法に關する限りは、立法者も解釋者でなければならず、解釋者も立法者でなければならない。

法規は作られるものであるが、法は作られるものではなく、見いだされるものである。自然法も歴史法もそのことを敎えた。自然法は理性的必然性のうちに、歴史法は歴史的現實のうちに、見いだされるものであった。そして、自然法が實定法と並行して獨自の存在を主張した限りにおいて誤りであり、法はすべて實定法であるとすれば、法はすべて歴史法として歴史的現實のうちに見いだされなければならない。しかし、自然法または理性法の獨自の存在は認められないとしても、法の理性は認められなければならない。すでに歴史そのものが單なる事象の變轉過程ではなく、事象の變轉を通じての理性の展開過程であり、このゆえに、歴史の精神を語ることもできるのである。歴史が歴史であるために個々の事象の變轉を通じて流れる普遍的連續性がなければならず、個々の偶然性を通じて必然性の支配がなければならないであろう。これによって個々の事象が歴史的意味をもつことにもなる。それは歴史の理性であり、また、その法則でもある。法はすべて歴史法として歴史のうちに見いだされなければならず、自然法や理性法は存しないとしても、法の理性は認められなければならない。そうでなければ、法そのものの存在理由が無視され、法が單なる歴史的偶然に委されることになるであろう。

法はすべて實定法であり、實定法のほかに法はない。しかし、實定法も法として法の理性を内包していなければならず、理念への志向をもっていなければならない。

法は歴史的現實のなかに機能しながら存在するが、法はその歴史的現實のために機能するのである。法は單に當爲ではなく、單に存在でもない。むしろ、それは兩者の相互的制約において規範である。シェーンフェルトのいうように（八）「法は要求されるものとして當爲に關係し、在るものとして存在に關係する。法は正的者である限り當爲であり、實定的者である限り存在である。法は存在する當爲であるとともに、當爲的存在である。法の正當性または規範的側面を强調すれば前者であり、法の實定性または社會學的側面を强調すれば後者である。法はすべての現實と同様に複合的であり、單に一面をではなく兩面をもつ」のである。法には實定性とともに、理念性が認められなければならない。もちろん、理念は獨自の存在ではないから、法はその理念性において存在するのではなく、したがって、理性法または自然法はありえない。法はその實定性において存在し、したがって、すべて法は實定法である。しかし、法は理念に志向しながら存在する。法の實定性は理念によって制約された實定性である。歴史法も法の理性を内包していなければならないのである。そうでない限り、法の精神について語ることができないであろう。

このゆえに、法はその理念性においては理性的必然性のうちに見いだされなければならないとともに、その實定性においては歴史的現實のなかに見いだされなければならない。しかし、すでに歴史そのものが理念の現實化の意味をもつものであるならば、歴史のうちに見いだされる法において、理念の現實化が見られているのであり、または、理念の現實化が要求されているのである。法の實定性は理念の現實化の意味をもつのであり、實定法も歴史法も法の理念を相對的に内包している。このゆえに、シェーンフェルトの指摘するように、[九] 法學は實定法を對象としながら、純粋論理ではありえず、歴史法を對象としながら、無批判的歴史主義ではありえないのであって、イデオローギッシュであらざるをえないのである。

（一）Radbruch, Rechtsphilosophie, S. 29.
（二）Binder, Rechtsbegriff und Rechtsidee, 1915, S. 60.
（三）Schönfeld, Die logische Struktur der Rechtsordnung, 1927, S. 42.
（四）Gurvitch, L'Idée du Droit Social, 1932, p. 96.
（五）Lask, Rechtsphilosophie, Gesam. Schriften, Bd. I, S. 284 f.
（六）Pound, Interpretation of legal history, p. 14. 高柳賢三譯「法律史觀」二八頁以下參照。

（七） E. v. Hippel, Untersuchungen zum Problem des fehlerhaften Staatsaktes, 1924, S. 65.
（八） Schönfeld, a. a. O. S. 65.
（九） Schönfeld, a. a. O. S. 47.

三　法の理念性と歴史性

自然法學は、法は時と所を越えて不變的に理性から演繹されるものと説き、歴史法學は、法は民族精神に源を發して言語のように歴史的におのずからに生成するものと主張した。これに對して、これらをもって甘美な夢であるとし、法は現實の血なまぐさい利益闘争にもとづき、はげしい闘争をもって闘いとられなければならないもの、と説くひとびともいる。すでにイェリング（一）は、法はヤヌスの頭のように二面的であること、一面において秩序と平和を示し、他面において勞働と闘争を示すこと、法の恩惠的側面を享受するものと、法のための闘争を課せられているものとの差別のあることを指摘し、「闘争なき平和、勞働なき享受は天國の時代に屬することであり、歴史は兩者を不斷の困難な努力の所産としてのみ知る」といい、また、「現行法には時の經過とともに無數の個人や諸階級全體の利益が固く結びつき、その結果このような利益を痛烈に侵害することなしには、それを排除することができない。したがって、法規または制度を問題にとりあげることは、これらすべての利益に戰を宣告することであり、無數の觸手をもってからみついている水螅《ヒドラ》を切斷することである。このゆえに、すべてこの種の試みは自己保存欲の自然的發動のうちに利益を脅かされる者のはげしい反抗を、したがって、闘争を呼び起し、あらゆる闘争における と同様に、この闘争においても事を決するのは理由の輕重ではなく、對立する力の實力關係であり、その結果、力の平行四邊形における と同一の結果を招來すること、すなわち、本來の線から外れて對角線の方向にむかうことが稀れではない」ともいっている。このような見地から、イェリングにとって「法は權力の聰明なる政策である」(二)。權力は自己の利益がそれを必要とすることを確信するがゆえに法に頼るのであり、園藝家が自分の植えた樹木を育てるように、權力は法を育てるのである。しかも、樹木のためにではなく、自分自身のためにである。兩者とも、それに實を結ばせるためには、大切に培い育てなければならないことを知っており、また、果實が勞苦を充分に償うことを知っている。法は權力の聰明なる政策であるが、一時の、瞬間的利益の近視眼的政策ではなくて、遠き將來を洞察し結末を考慮した高遠なる政策である、というのである。

このようにして、イェリングにとって、法は利益闘争の所産ではあるが、「權力の政策」であるがために、單に優越階級の利益をのみではなく、多かれ少かれ、從屬階級の利益をも含むのである。彼はいっている「市民社會の秩序はそれを構成している種々な身分層または階級の力關係につねに對應している。征服者がもし被征服民族をその國家結合のなかに組み入れるとすれば、これに對して自己と平等な地位を許與することはなく、これをば從屬的な關係におくであろう。これと同様にして、統一的に生長してきた同一民族内においても、より強い階級はその力の優越さを法制度のなかに表現するであろう。……そして、双方の本來の力關係に何ら變化がない限りは、この狀態をくつがえさないことに最も切實な利益を有するのは、弱者にほかならない。たとえ、どんなに嚴格な法であっても、強者が弱者に對して布告する法は弱者にとっては――パラドックシカルにひびくかも知れないが――これなき場合に強者から期待しなければならなかった狀態に比較すれば、比較的になお利益を含んでいる」。すなわち、壓迫が無制約ではなく、法によって制約された壓迫である限り、弱者にとってなお利益を含んでいる、というのである。（三）このゆえに、被壓迫階級がその課せられた法制度のもとに滿足しなければならないというのではない。ブルヂョア階級法のもとにおけるプロレタリアートと同樣に、プロレタリア階級法のもとにおけるブルヂョアジーも、このような利益を享受するであろう。したがって、ブルヂョアジーとプロレタリアートとの間の力のそのときの分配關係においては、ブルヂョアジーの純粹な階級法はなく、むしろ、種々な程度の妥協や讓步によって弱められた市民法的階級法のみがあることになる。力關係が變化し、被壓迫階級の力が増大すれば、これまで彼らの享受してきた利益に滿足せず、より大なる利益の獲得のための鬪爭が展開されるであろう。そこに、イェリングのいわゆる「力の平行四邊形」が働くのであり、「權力の政策」が現われるのであるが、法という形式の必然的機能である、ということができるであろう。

ラードブルッフもつぎのようにいっている。「自由およびその實現に對する欲求は、擡頭するブルヂョアジーの利益と力から發した。しかし、彼らの考えた自由は彼ら自身のための自由のみではなく、すべての者のための自由であった。彼らはこの自由を彼らの法として要求したからである。法はその本質上正義への要求をかかげなければならない。しかるに、正義は法原則の普遍性と法規の前の平等を要求する。一の要求を權利の形式でかかげることは、自己のために要求することを他のすべての者にも承認することである。ブルヂョアジーは法の形式で自由を要求したから、この自由はすべての者のための自由となった。このゆえに、それは闘争するプロレタリアートにとって Koalitionsfreiheit としても作用することができ、本來その利益からでたブルヂョアジーに對する闘争手段となることもできた。そして、自由について妥當することは、デモクラシーについても妥當する。それも同様に、ブルヂョアジーによって彼ら自身の利益において貫徹されたが、法の形式で貫徹されたがゆえに、すべての者のためのデモクラシー、プロレタリアートのためのそれにもなった。その利益においてデモクラシーの旗をかかげたブルヂョアジーに對する闘争において、プロレタリアートの Aufmarschform にもなったのである」(四)と。

　このことからラードブルッフは三つのことを抽きだしている。(五)第一に、經濟的利益および力が法形式に轉換することは、經濟的利益からの法形式の固有法則性の解放を意味することであり、第二に、固有法則的に進展する法はその源である經濟的力關係へそれ自身の方から反作用することができ、したがって、經濟的根柢と法イデオロギー的上部構造との間には相互的作用が成立することであり、第三に、この固有法則性と相互的作用のゆえに、被壓迫階級もまた支配階級の定立した法の實現において、ある程度の利益をもつことができるということである。このゆえに、被壓迫階級は法をめぐる多くの闘争において、支配階級が彼らに課した法秩序の守り手ともなるのである。けだし、それはなるほど階級法ではあるが、しかも階級法であるからである。それによって支配階級の利益は、むきだしに掲揚されずに、法の衣をまとって現われるのであり、また、法の内容は彼らの欲求するものであるにしても、法の形式はつねに被壓迫者にも役立つからである。「法の形式主義」（ラードブルッフ）のみが被壓迫階級を敵階級の手中にある立法および司法の恣意行爲に對して守ることができるのである。したがって、支配階級の利益と力を內容として成立した法も、その法である限りにおいて、普遍的法形式によって制約され、その限りにおいて、支配階級の力は、强められると同時に弱められることになる。今やその力は、少くとも正當性の外觀なしには行使されえない。その限りにおいて弱められ、その行使されうる限りは、今や正當性の品位が附加されるから、强められることになる。

このようにして、法には支配階級の利益とその擁護の手段が見いだされるとともに、他面において、被壓迫階級の前進の據點もまた見いだされる。支配階級はその利益と力を法にまで形成しようとする。その利益と力を法によって正當化し、正當化することによって、それの保障を確實化するのである。その限りにおいて、法は支配階級の利益のための手段となる。しかし、それにもかかわらず、法はその「固有法則性」（Eigengesetzlichkeit）において、必ずしも支配階級の忠實な手段ではない。逆に支配階級の恣意の制約でもある。法はその理念においてすべての恣意に對して對立概念であり、支配階級がその利益を法にまで形成することによって正當化しようとするのも、法のこのような反恣意性にもとづくことである。このゆえに、法にまで形成された支配階級の利益は、支配階級の恣意から離脫することになる。法は逆に彼らの恣意をも制約するのであり、そこに被壓迫階級は、ささやかなりとはいえ、彼らの避難場と、更には、前進のための據點を見いだすことができるのである。法は階級支配の手段として、階級法であるとしても、階級法にも法の「固有法則性」がある。

このような法の「固有法則性」を保障するものは、終極において、法の理念である。理念は法にとって單に超越的に妥當するだけではなく、内在的に法を制約し指導する原理でもある。どのような法も理念への志向において現實に機能する規範であり、この理念への志向において、理念が法に内在しながら現實的に機能することにもなるのである。もちろん、法に内在して現實的に機能する限りの理念、または、理念の現實的機能は、その現實的である限りにおいて、相對的であり、歴史的に制約され、したがって、「力の平行四邊形」によって動かされるであろう。このゆえにまた、法はその實定性において相對的に正當であるとともに、相對的に不正當でもある。絶對的に正なる法はない。しかし、「正」への志向なくして、いかなる法もない。「正」への志向なくしては法は單純なる「權力の恣意」に化するであろう。「正」は法におけるこの「正」への志向の目標として超越的であり、この志向において内在的である。法におけるこの理念への志向を法の理念性と呼ぶとすれば、ラードブルッフのいわゆる法の「固有法則性」は、法の理念性の機能であり、理念性における法の本質性格である。

自然法は法の理念性を敎えた。自然法が獨自の法として存在することは否定されなければならないが、法の理念性が否定されない限り、自然法の敎えはなお意義を有するものと、いわなければならない。されば、階級法を説くフレンケルもつぎのようにいっている。(六)「歴史的には合理主義的方法と資本主義的内容とが十八世紀の自然法を特徴づける。概念的には自然法は被壓迫階級のイデオロギーであり、彼らはその最高と認める法廷において、彼らの反抗權を合法化するために、成文法規に對する彼らの闘争において、これを用いるのである。」「自然法は一回の歴史的出來事ではなく、むしろ、社會學的根柢を有する繼續的な現象である。成文法規が支配階級の權力手段であるとすれば、自然法は被壓迫革命家層の正當根據であり、宣傳手段である」と。

自然法が法の理念性を教えたのに對して、歴史法は法の歴史性を教えた。歴史の地盤をはなれて單に理念性のみの法はない。このゆえに、自然法や理性法は獨自の存在としては否定されなければならない。法はその理念において自然法または理性法であるということは、理念の本性から見て許されないのに對して、法はその現實性においてすべて歴史法であるということは、許される。實定法であることは歴史法であることであり、したがって、法の實定性と歴史性とは同一のことに歸する。しばしば見られるように、實定法は制定法または成文法と同視されるべきではなく、實效性ある法であり、現實に行われる法でなければならない。したがって、實定法は立法者によって作りだされるものではなく、法はその實定性において歴史のなかに生成するのである。歴史法はそのことを教えた。

ザヴィニーが法典の編纂に反對したのは、このような歴史法の研究に未熟な段階において、非歴史的な演繹によって敢て編纂をなすことに對してであり、制定された法典がこのような歴史法によって無力化することを憂えたからであるとともに、また、法典の編纂によってこのような歴史法の生成を歪曲し抑制することを恐れたからである。ザヴィニーにとって「法はそれ自身に存在を有せず、むしろ、その本質はある特殊な側面から見られた人間生活そのものである」(七)のであり、このゆえに、法學がもしこの對象から抽離すれば、なるほど高度の形式的整頓を取得することができるとしても、法闘係そのものの洞察を失い、あらゆる現實性を缺くことになるであろうことを主張したのであるとともに、(八)このような歴史法の研究のために「深き素養の學者と經驗廣き實際家からなる法典委員會」を設定し、これをして「實生活のなかに生ずる法の經驗を集成」せしめることを提唱したのである。(九)

なお「ローマ法精神論」のなかでは、のちに歴史法學派に鋭く反對したイェリングも、つぎのようにいっている。「法は立法者の熟慮に源を發する任意の規定の外的な集合ではなく、一民族の言語と同樣に歴史の内的に融合した產物である。そのことについて現在何ら爭いはありえない。人間の意圖や計算は、もちろん、法の形成に參與するではあろうが、それは作りだすのではなくて、見いだすのである。けだし、人類の結合生活がそこで營まれる關係は、人間の意圖や計算によって建設され形成されることを待たないからである。生活の衝動が法をその諸設備とともに發生せしめたのであり、また、不斷の外的現實のうちに法を支持するのである」(一〇)と。これはザヴィニーの主張と全く同一であるが、イェリングはまた「事實的法」(tatsächliches Recht)と「形式化された法」(formuliertes Recht)の區別を指摘し、(一一)「事實的に支配し適用にまでいたる客觀的法と、法規やドグマの形式におけるそれの把捉との間には、何ら完全な一致が存しない」といい、(一二)「法規は單に法の最も外的な實用的尖端にすぎず、しかも、外延的にも、内包的にも法の現實の内容をつくすものではない」(一三)ともいっている。ザヴィニーにとって歴史法、したがって、民族法は、民族精神の發現であったが、イェリングはローマ法の生態、あるいは、生態におけるローマ法を研究し、そこに「ローマ法の精神」を見いだそうとしたのである。

法はすべて歴史的現實のうちに見いだされなければならない。實定性なき法はないということは、歴史性を捨象されて法はないというのと同義である。成文の法規は法を見いだすための典據である。過去の法に關する限りは、資料または史料である。その歴史性において法は歴史のうちに變轉し生滅するのであり、歴史を越えて永久の法はない。その歴史において「力の平行四邊形」が事を決するでもあろう。「利益鬪爭」が法の形成を方向づけるでもあろう。その力の平行四邊形に參加する力の擔い手や鬪爭する利益の性格は、歴史的に種々樣々であるであろう。「血なまぐさい鬪爭」（イェリング）によるにせよ、法は歴史のうちに生成するのであり、立法はこれを助勢し、あるいは、抑制することはできても、法を作りだすのではなく、法の生成を阻止することはできない。立法ののちにも、法は依然としてその生成を停止しないのである。このゆえに、法はすべて歴史法であり、歴史のうちに見いだされなければならない。

しかし、イェリングはローマ法の研究によって、ローマ法の精神を見いだした。歴史法を形成するものは、歴史的精神である。精神は歴史的に生成しながら、しかも、理念もしくは理念への志向に制約されながら、法を形成する。歴史的精神は理念への志向において、イデオロギーとも呼ばれうるであろう。それぞれの法の精神は、そのイデオロギーである。したがって、法の歴史性はそのイデオロギー性とも關連する。イデオロギーにおいて、したがって、歴史的精神において、理念が歴史的に見られ、主張されるのである。法は單純に利益鬪爭または實力鬪爭の所產ではなく、イデオロギー化されたそれの所產である。したがって、鬪爭を媒介として歴史的に生成しながらも、法は理念への志向をもち、理念への志向において理念を内包する、といわなければならない。「法の固有法則性」（ラードブルッフ）は、これにもとづくことであるであろう。法は歴史性とともに、理念性をもつのであり、そのことを歴史法と自然法とが、それぞれに教えていると考える。

（一）Jhering, Kampf ums Recht (Reclam), S. 20 ff. 日沖憲郎譯「權利のための闘爭」二五頁以下。
（二）Jhering, Zweck im Recht, Bd. I. 拙譯「法律目的論」下巻（早稲田法學別冊第六巻）二五二頁以下。
（三）イェリング「法律目的論」前掲書三七七頁以下。
（四）Radbruch, Klassenrecht und Rechtsidee, Zeitschr. f. Soziales Recht, 1929, 1. Jahrg. Num. 2, S. 76.
（五）Radbruch, a. a. O. S. 76 f.
（六）Fraenkel, Zur Soziologie der Klassenjustiz, 1927, S. 34.
（七）Savigny, Beruf, S. 18.
（八）a. a. O. S. 18.
（九）Savigny, System des heut. röm. Rechts, I, S. 204.
（一〇）Jhering, Geist des röm. Rechts, I, S. 26.
（一一）a. a. O. S. 31.
（一二）a. a. O. S. 33.
（一三）a. a. O. S. 34.

第四章　「國家外的法」の法的性格と法の生成

一　はしがき

昭和二七年六月二三日付朝日新聞夕刊紙上に「選擧違反を投書した娘さん一家を村八分」という見出しで、つぎのような記事がのっていた。

「去る五月の靜岡縣參院補缺選擧で、同縣富士郡上野村では、部落の有力者が棄權者の入場券を集めて歩き、これを使って數回も同一人が投票場に入るのを管理者が默認したという選擧違反事件があり、このため○○同村村長、○○選管委委員長ら十數名が取調べを受け、役場吏員○○○、配給所長○○○ら十名が送檢された。ところが、同事件が部落内の一少女の公明選擧を期待する投書から發覺したことを知った村民の一部が、『村人を罪におとしいれたのはけしからん』との考えから、そののち、少女の一家を暗默のうちに『村八分』同樣の狀態にし、この結果、生活に困った同家が村からの立退きを相談し合うという問題が起っている。」越えて六月二九日の同紙夕刊には「この事件が報道されてからも、今まで事件の女主人公宅を素通りしていた回覧板が回されて來るようになったという表面的な變化はあったものの、實質的には相變らず絶交狀態が續き、かえって村八分行爲を正當化しようという『逆うらみ』さえ強くなっている」と報じ、「少くとも、同じ村に住んで村人を罪に落す者は人間でない。……村にそんな平和を破壞するような者がいるのは、實際不愉快だ。たとえ事實があったとしても、村人としていいいいいの禮儀で口外するなど、もってのほかである」（傍點は筆者）という同村の某高校生の言葉をも掲載している。

これは、たまたま紙上に報道された一例であって、このような例はほかにも珍しいことではないのみならず、このような場合に、村八分が部落の正當な制裁として、そのまま濟まされていることも少くないと思われる。狹く閉ざされた部落生活の相互扶助的連帶性と部落の平和第一主義の根づよい規範意識、それに乘ずる有力者の横行——それらが部落を近代以前的狀態に停滯せしめ、村八分の制裁によってその規範意識を強く保持せしめているが、一體、このような村八分の制裁をともなう部落の規範が部落における法なのであろうか。それが法であっても法でなくても、部落民の生活にとって、かなりに強固な拘束であることに變りはないし、また、それが法でないとしても、「閉ざされた社會」において、いかに法意識が未成熟であるか、あるいは、法意識がいかに「しきたり」意識によって制約されているかを明かにするために、法社會學的考察の貴重な材料であることに變りはない。しかし、それをも法と見るとき、法と「法外的規範」との概念的區別が明確でなくなることも、いなみえないであろう。そのことは、エールリッヒの「生きた法」や「國家外的法」について、しばしば、指摘されていることでもある。以下、エールリッヒおよびマックス・ウェーバーにおいて、その「國家外的法」が「法外的規範」との對照において、どのような意味で法的性格をみとめられているかを、検討することにする。

二　エールリッヒにおける「國家外的法」

エールリッヒもマックス・ウェーバーも「國家的法」(staatliches Recht) と「國家外的法」(ausser-staatliches Recht) とを區別し、法社會學者として、「國家外的法」に考察の重點をおいている。その際に、兩者ともある程度において「國家的法」の國家外的起源および國家外的生成をみとめるが、「國家外的法」の法的性格は、兩者において必ずしも充分に明かであるとはいえない。「國家的法」と「國家外的法」の兩者をふくめて、一般に法と「法外的規範」(エールリッヒ) との區別が、ことにエールリッヒにおいて、充分明かでないことは、一般に指摘されていることでもある。

事柄そのものの現實においては、法と「法外的規範」とが分離して存在せず、むしろ、つねにからみあって存在し、したがって、法的現象が法的現象であるとともに、多かれ少かれ、「法外的規範」の要素または制約をもふくんでいること、ならびに、「法外的規範」の法規範への轉化およびその逆の轉化のあることは、みとめられなければならない。ことに、法は不斷の生成過程に在り、その存在形相において、それみずから不斷の生成過程であるとともに、その生成過程が諸要因の對立・相剋・闘爭を媒介としていることがみとめられるが、この「法をめぐる闘爭」には諸々の「法外的規範」もまた參加しており、したがって、法の生成に推進的または障碍的に作用していることをみとめなければならないから、現實過程において、法と「法外的規範」とが、決して分離しているものでないことを、承認しなければならない。したがってまた、法社會學者がその實證的研究において「法外的規範」現象をも、研究材料としてとりあげることは、決してとがめられるべきことではなく、むしろ、法の生成の現實態を明かにするために、有用であるのみならず、必要でもある。

しかし、法と「法外的規範」とが現實過程において分離していないとしても、概念把捉としては兩者の區別が明確にされねばならない。法社會學が法社會學として確立されるためには、その方法論的自覺が必要であり、そのためには、すでに對象として前提されている「法」や「法外的規範」の「法外性」が、明確にされなければならないからである。そのための努力は、エールリッヒにもマックス・ウェーバーにもあるが、必ずしも充分であるということはできないであろう。

エールリッヒが法社會學の對象としてとなえる「生きた法」(lebendes Recht) が、他の社會規範から充分明確に區別されていないことは、わが國の學者によっても、しばしば、指摘されていることである。

エールリッヒ自身も、法規範 (Rechtsnorm) と法外的・社會的・諸規範 (ausserrechtliche gesellschaftliche Normen)との間に見のがしえない相異のあること、しかも、それを明確にすることがはなはだ困難であること、を指摘し(一)、しかし、この困難は實際的には稀れなことでしかなく、一般的には各人が一の規範について、それが法規範であるか、あるいは、宗教、習俗、道義、その他の領域に屬するものであるかを、躊躇なく直ちに判別することができるのであり、この事實が考察の出發點でなければならないとしたのちに、「法規範と法外的規範との對立の問題は、社會學（Gesellschaftswissen-schaft）の問題ではなく、社會的心理學（gesellschaftliche Psychologie）の問題である」とし、法規範に特有であるのは、普通法の學者たちの見いだした“opinio necessitatis”の感情であるといい、これにしたがって法規範が認識されなければならない、といっている。(二)

このような見地から、彼にとって、法と道德との區別の基準を、他律性と自律性ということに見いだすことが排斥されなければならないが、(三)そもそも、「法と道德との區別は何であるか」という從來の法學のかかげる單純な問題形式は、社會學的法學にとって大した重要性をもたないのであり、心理的および社會的事實の精密な檢討のみが、この困難な問題を明確にすることができるのである。(四)そして、彼自身は、學問の現在の狀態において、法の本質特徵をつぎのようにみとめることが許されるであろうかとして、つぎのようにいっている。「法規範は少くともそれの發生するグルッペの感覺において、重要性の大きい事柄、根本的意義をもつ事柄を、規律する。……重要性の少い對象のみが他の社會的諸規範に委される。(五)」他方において、「法規範は他の諸規範と異って、つねに、明確な言葉をもって表現されうる。……道義、習俗および禮儀などの規範もまた、その一般性を脫して明瞭な言葉のうちにとらえられるやいなや、しばしば、法規範となり、社會の法的秩序のために原則的意義をもつことになる」(六)と。

したがって、エールリッヒにとって、言葉に表現されうる程度の明確性をもつことと、團體秩序またはは社會秩序のために根本的意義を有することとが、他の社會規範から區別される法規範の本質特徴である。これはイェリングが「社會秩序の根本條件」といい、イェリネックが「倫理的最小限」といったことを想わせるものであるが、それだけで事柄を概念的に充分明確に捉えたものでないことは、否定できない。そのことは、强制をもって法の本質特徴とせず、また、法における强制態様の特殊性に着眼しない見地からは、避けえないことでもある。エールリッヒは、「國家的法」と「國家外的法」との區別をみとめているが、その「國家外的法」と「法外的規範」との區別は、ことに不明確である。彼自身も「社會的に効力ありながら、國家的禁止に違反する規範を、社會學的意味において法規範と見なしうるかどうかは、一種の社會的力問題である。それは、そのような規範が社會において、法規範に特有な感情調子、普通法學者の opinio necessitatis を、呼びおこすかどうか、ということに歸着する〔七〕」といっているが、これは、社會規範の諸法則を「社會のなかで作用する諸力の所産である〔八〕」とする彼の言葉とともに、注意に値いするとともに、他面において、彼の「法外的規範」と「國家外的法」との區別を、いよいよ不明確ならしめることに役立っていると思われる。

その「國家外的法」について、彼はつぎのようにいっている。「國家によって法規として公布された法が唯一の法であった、というような時代は一つもなかった。裁判所にとっても、そのほかの官廳にとっても。したがって、國家外的法にしかるべき地位をあたえようとする底流は、つねに存在した〔九〕」と。彼にとって、「國家から發するということも、裁判所その他の役所の裁斷のため、または、それにつづく法強制のために根據をあたえるということも、法にとって何ら概念本質的ではない。――法は一の秩序である。（一〇）」しかも、社會的團體の內的秩序である。（一一）そもそも、法のために國家の演ずる役割、したがってまた、國家的法の地位も、彼にとって第二次的である。國家そのものが「社會の機關」(Organ der Gesellschaft) と見られなければならず、（一二）法のために國家の演ずる役割、したがって、意義は、社會が社會に發する法に強力な脊骨をあたえようとするときに、社會の機關として國家を用いることにもとづく。（一三）社會がその機關として國家を用い、それによって社會に屬する諸團體に社會の秩序を強要するのである。（一四）したがって、「國家的法」すなわち國家から發する法は、「社會の機關」としての國家の地位からして、第二次的意義のものであるであろう。「國家的法」としてエールリッヒのあげるものは、「憲法、國家的官廳の法、純國家的裁判規範、經濟的および社會的生活の種種な領域のための國家から發する諸規定」であり、また、刑法、訴訟法、警察法などである。（一五）

このようなエールリッヒの見解には教えられるところが多い。それにもかかわらず、疑問としてのこるのは、「國家外的法」の法的性格を決定するものは何かということであり、「國家外的法」と「法外的規範」との區別の目安は何かということである。「國家的法」は「社會の機關としての國家」から發する法として第二次的なものである、というのは、ある意味においてうなずかれる。しかし、「國家外的法」は、なるほど國家外の社會から發する法ではあるが、エールリッヒにとって、法は社會秩序のために重要性の大なる規範であり、そのような規範すなわち「國家外的法」を、社會がその機關としての國家を用いて、強制するのであるであろう。そうであるとすれば、エールリッヒにとっても、「國家外的法」は、社會の機關としての國家によって保障される規範、ということになるのではあるまいか。もちろん、國家および國家權力の構造ならびに性格は、歴史の各段階において同一ではない。したがって、近代國家の構造を基準として歴史の各段階にのぞんではならない。「社會の機關としての國家」は社會の發達とともに變化してきたのであり、法を保障する國家の國家的性格がうすらぐ度合に應じて、そこに保障される法の法的性格もまたうすらぐこと、そして、法が社會秩序のための唯一の規範ではないこと、を考えなければならないであろう。エールリッヒのすぐれた歴史的考證には教えられるところ多大であるが、しかも、それによって「國家外的法」の法的性格の問題は、やはり、不明確のままに殘されているといわなければならない。この點に關する限り、マックス・ウェーバーの説明の方が、より明瞭であると思われる。

（一） Ehrlich, Grundlegung der Soziologie des Rechts, Unveränderter Neudruck, 1929, S. 131.
（二） a. a. O. S. 132.
（三） a. a. O. S. 132 f.
（四） a. a. O. S. 134.
（五） a. a. O. S. 134.
（六） a. a. O. S. 135.
（七） a. a. O. S. 136.
（八） a. a. O. S. 31.
（九） a. a. O. S. 11.
（一〇） a. a. O. S. 17.

(一一) a. a. O. Kap. II.
(一二) a. a. O. S. 120.
(一三) a. a. O. S. 122.
(一四) a. a. O. S. 123.
(一五) a. a. O. S. 124.

三　ウェーバーにおける「國家外的法」

ウェーバーは法理的考察方法と社會學的考察方法とを嚴格に區別したのち(一)、社會學的意味で「法秩序」とは論理的に「正しい」として開展される規範のコスモスではなく、現實的な人間行爲の事實的決定根據の複合であるとし、「われわれにとって『法』とは、その經驗的效力のシャンスのためのある特別な保障を具える一の『秩序』である」といっている(二)。ウェーバーにとって、法であるためには、一定の「强制機構」による保障が成立していること、いいかえれば、「そのために特別に定められた强制手段(法强制)によって秩序實現の任務をもつ一人または多數の人が保障を擔任していることと」が必要であり(三)、强制がとくに「法强制」と見られるのは「その有效な意味が、一の秩序の遵守を實現すること自體を目ざしている强制、したがって、純形式的に、その秩序が拘束的として有效に認められるがゆえに、それを遂行しようとする强制であって、その有效な意味において何らかの合目的性、または、そのほかの實質的條件にしたがって行使される强制ではない。法に對するひとびとの服從の動機は種々であり、功利的であったり、倫理的であったり、世間の不同意を恐れる心であったりする。しかし彼にとって、これらの動機の態様は法の效力の態様およびシャンスのために重要ではあるが、その形式的社會學的概念のためには、このような心理的事實は無緣である。むしろ「重要なのは、その地位にある者の干渉のシャンスが、規範違反の事實だけで、したがって、單にこの形式的原因の主張だけにもとづいて、事實として成立することである。」要するに、と彼はいっている「直接に法强制によって保障された規範が『法』であると考える」(四)と。

このようにしてウェーバーにとって、法は法强制によって保障された規範であるが、しかし、すべての法が權力によって保障されるのではない。「今日、實力的法强制は國家の獨占であるが、これは一定の發展段階の特徵である。われわれは、それの保障たる法强制が政治的社會の直接に物理的な强制手段によって行使されるとき、また、その限りにおいて『國家的』法、すなわち、國家的に保障された法を語る。」と彼はいう。(五)したがって、彼にとって、ある者が國家的法秩序によって權利をもつということは、社會學的見地から見て、彼が一定の利益のために、法規範の通常の意味にしたがって、「强制機構」の助力を求めることにつき事實上保障されたシャンスをもつことである。(六)

このようにして、ウェーバーにとって、「國家的」意味における法（權利）が政治的權力の力手段の保障のもとにあるのに對して、政治的權力以外の他の權力の强制手段が見られる場合には、「國家外的」法が語られねばならない。(七)團體からの除名やボイコット、同樣の手段の脅威、此岸的な利益または不快、あるいは、彼岸的な賞罰を豫期せしめることは、一定の文化條件のもとでは、しばしば、その機能において政治的共同體の强制機構よりも、はるかに確實に作用する。政治的共同體の强制機構による實力的法强制は、例えば、宗教的力のごとき他の强制手段に對して、はなはだしばしば、劣ることがある。「政治的權力以外の力による强制手段は、それにもかかわらず、その社會學的實在性において、その力手段が社會的に相當な作用を行う限りにおいては、『法强制』として存立する(八)」。彼は、「政治的權力の保障によって法强制が豫期されるときにのみ『法』が語られるとする見解を、われわれは排斥する。」といい、一定の構成事實の發生した場合にその任務にある人によって、すなわち、强制機構によって、何らかの物理的または心理的强制手段の適用が豫期されるところに、したがって、「法强制」の目的のための特殊な利益社會化の存在するところには、つねに「法秩序」を語りうる、ともいっている(九)。

このようにしてウェーバーにとって、「直接に法强制によって保障された規範」が法であり、その際に「法强制」の概念が必ずしも充分に明確であるとはいえないが、いずれにしても、法が「一定の强制機構によって保障される規範」であるのに對して、何ら强制機構による保障をもたないものは法ではなく(一〇)、法のうちで、それを保障する强制機構が「政治的權力」によるものであるかどうかにしたがって、「國家的法」と「國家外的法」とが區別される。

このようなウェーバーの區別は、エールリッヒに比較して、かなりに明確である。法と法外的規範との區別は、强制機構による保障の有無にある、というのである。その場合に、强制機構といいうるためには、何ほどかの程度において組織がなければならないが、どの程度の組織があれば强制機構と見られるかは、具體的に判斷されるよりほかないであろう。一部落の村八分および村八分の制裁によって保障される部落の規範が法であるかどうかは、ウェーバーの立場からも、直ちに斷定できないであろう。村八分が現實に行われたが、それが「强制機構」の發動によるものであるかどうかは、したがって、「强制機構」と呼びうる程度のものが存在したかどうかは、別問題であるだろうからである。他面において、ウェーバーの「國家的法」の立場から、その拘束性を否定される、または、否定されるシャンスの豫期されるような部落の規範は、現實にどのように强い拘束力をもっているにしても、法とはみとめられないのではあるまいか。ウェーバーは、オーストリアにおけるスラヴ的 Zadruga について、それを形成する了解行爲がそれの秩序のために固有の强制機構をもつがゆえに、それはやはり法であるといい、ただ、國家的强制機構の招請の場合に、これによって否定されたといっている。(二)しかし、このように國家的强制機構の招請によって否定されるようなものが、それ自身の固有の强制機構をもっていることだけで法とみとめることは、法概念の不當な擴張であると思われる。「閉ざされた社會」として部落の對外的閉鎖性が完全であり、したがって、國家的强制機構の招請のシャンスが全くなく、したがってまた、それによって否定されるシャンスが全く豫期されないような場合には、その部落固有の强制機構が、かなりに決定的な拘束力をもって作用するであろう。そのような場合に部落の强制機構を擔任し動かすのは、部落の「有力者」であると思われるが、「有力者」の權力が何にもとづくにもせよ、それが强制力として作用しうる限りにおいて、全く政治的性格と無縁であるとは考えられない。したがって、ウェーバーの說くように、政治的權力以外の權力によって保障される法としての「國家外的法」の法的性格は、やはり、疑問である。直接にせよ間接にせよ、法である限りは政治的権力によって保障されるのではあるまいか。

この點において、エールリッヒもウェーバーも指摘しているように、「教會法」はたしかに疑問である。ことにウェーバーは「教會法は國家的法と衝突した場合にも法である。それは、しばしばあったことであり、カソリック教會においては、近代國家に對して不可避的に反復されたことであった」といっている。(一二)たしかに、教會法は「國家外的法」である。しかし、政治的権力以外の他の権力の強制手段にもとづくということには、直ちに承服しえないものがある。教會法も純然たる宗教規範にとどまらずに、法として通用した限りにおいて、教會権力によって保障されていたわけである。その教會権力が何にもとづいて権力たりえたかは別論として、教會組織の統治力として、政治的権力としての意味を全くもたなかったということはできない、と思われる。過去における宗教裁判の例にかんがみて、教會法の強制力を支えるものが教會における政治的権力であることを、否定することができないであろう。教會権力の政治性が必ずしも明確でない程度に應じて、教會法の法的性格が明確でないが、教會法の法的性格がみとめられる程度においては、教會権力の政治的権力性が承認されると考える。したがって、教會法は教會的法であって國家的法ではないが、「政治的権力以外の他の権力の強制手段」によって保障されるものとは、必ずしもいうことができない。のみならず、ヴァチカン法王廳が、諸外國と外交使節を交換するなど、一國家たるの性格をもっていることをも、考えあわせなければならないであろう。

すでに強制機構と呼ばれうる程度のものがあるとき、これを維持しうごかす権力は、何ほどかの程度において政治的性格をもつのではないかと思われるが、それはしばらく別論とする。法と法外的規範との區別について、一定の强制機構によって保障される規範が法であるとするウェーバーの概念規定はエールリッヒに比較して一層明確である。しかし、「國家的法」と「國家外的法」との區別に關しては、兩者とも充分の說明をあたえていない。むしろ、この區別の理解のためには、デュギーの「規範的法」(または「客觀的法」)と「技術的法」の區別の說明が、かえって、役立つように思われる。のみならず、法は社會規範と强制規範の複合である(一三)とともに、社會規範から法規範への轉化、および、その逆の轉化が不斷に行われるが、この轉化關係を社會心理的側面から見たデュギーの說明には、はなはだ示唆の深いものがある。

(一) Max Weber, Grundriss der Sozialökonomik, III, Abt. Wirtschaft und Gesellschaft, 1922, S. 368.
(二) a. a. O. S. 369.
(三) a. a. O. S. 369.
(四) a. a. O. S. 370.
(五) a. a. O. S. 370.
(六) a. a. O. S. 371.
(七) a. a. O. S. 371.
(八) a. a. O. S. 371.
(九) a. a. O. S. 372. vgl. auch S. 17 f.
(一〇) a. a. O. S. 374. 15.

（一一）a. a. O. S. 372.
（一二）a. a. O. S. 371.
（一三）尾高朝雄博士、法哲學概論、二四四頁以下。

四　デュギーにおける規範的法の社會性と技術的法の國家性

デュギーは法を國家の制定にかからしめる説、ことに、ヘーゲル、イェリネック、イェリングらの説を批評したのち、（一）つぎのようにいっている。「年を經るにしたがい、法の問題を深く研究するにしたがって、私はますます、法が國家の創造物でないこと、それが國家と無關係に存立すること、法の概念が國家の概念から全く獨立であること、そして、法の法則が個人に對すると同様に國家にも課せられること、を確信するにいたった（二）」と。また、つぎのようにもいっている。「法の法則は國家の關與なしに存立すること、換言すれば、經濟的または道德的な法則が、國家の關與なしに、ある一定の契機において法の法則に轉化すること、を確信する。たしかに國家はしばしば關與する。ことに法發達の立法的段階にまで到達した近代國家においては、つねにそうである。しかし、法則に法的規範の性格をあたえるのは、國家の關與ではない（三）」と。これはエールリッヒの概念規定における「國家外的法」を思わせるものである。デュギーにとって、法は國家とは無關係に經濟的または道德的法則、したがって、社會規範から、あるモマンにおいて轉化して成立するのである。

デュギーにとって、社會規範から法規範への轉化は、一定の社會における大多數者の意識の狀態において行われることである。一定の社會規範について、一つの社會的團體を組成する「個人大衆の意識」(la conscience de la masse des individus) のなかに、團體自體またはそれに屬する各個人に對して、この規範の侵犯を抑制するために、最大の力が關與することが正當であるという觀念がゆきわたったとき、いいかえれば、團體を組成する個人大衆がその規範の侵犯者に對する反動が社會的に組織されるべきであることを理解したときに、その規範が法規範に轉化する、と彼はいっている。(四) また、一定の社會規範は「理由は種々に異りうるが、特定社會における大衆の精神 (la masse des esprits) が、この規範の制裁が多かれ少かれ發達した組織をもつ社會的反動によって恆常的手段を保障されうるという意識をもつとき、法規範の性格を取得する」(五) ともいい、「社會的法則は、國家または支配者がそれを承認し許容し形成したときに法規範になった、というべきではない。むしろ、大衆の精神が、この法則の遵守を強要するため、その違反者を罰するため、侵犯たるべきすべての行爲を抑制するため、侵犯によって生じた社會的不秩序をできるだけ回復するため、そのために支配者が恆常的且つ規則的に關與すべきであるという、明白にせよ不明白にせよ、意識を有するにいたったときに、法規範となる」(六) ともいっている。これを更に詳しく説明するために彼は、「法の創造的淵源」たる社會的意識の狀態に二つの本質的要因が作用するとし、「社會性のサンチマン」(七) (le sentiment de la socialité) と「正義のサンチマン」(le sentiment de la justice) をあげている。「社會性のサンチマン」というのは、一定の社會規範の遵守が制規の手續によって確保されるのでなければ、社會的存立の根柢たる連帶の結條が破れるであろうことについてのサンチマンであり、(八) 一定の規範の遵守が社會的連帯の維持のために組織的制裁を必要とすることについてのサンチマンである。（九）一定の社會規範は「社會性のサンチマン」と「正義のサンチマン」をともなうことによって法規範となるが、「正義のサンチマン」は、何をもって正とし、何をもって不正とするかは、時と所によって變るとしても、人間にはつねに見いだされるものである。一定の社會規範がこの「正義のサンチマン」をともない、したがって、その違反者を制裁することが正當であるというサンチマンをともなって一般的に意識されるとき、それは法規範に轉化する。（一〇）このようにしてデュギーはいっている「經濟的または道德的法則は、特定の團體を組成するひとびとの大多數が、それの遵守が社會的連帯の維持のために不可缺であること、また、それの制裁化が正當であることを了解するがゆえに、法の法則となる」（一一）と。

以上やや冗漫であるほどにデュギーの說を引用したのは、「國家外的法」の理解のために便宜であると考えたからであるが、デュギーは他方において、このような「規範的法」との區別において「技術的法」を說いている。それはエールリッヒおよびマックス・ウェーバーの「國家的法」を思わせるものであるとともに、デュギーにとっても、同樣に第二次的な法である。

デュギーによれば、「規範的法の法則または法的規範は社會に生活するすべてのひとびとに對して、一定の作爲または不作爲を課する法則である」のに對して、この規範的法の法則の適用および遵守を保障するために設けられた法則が「構成的または技術的法の法則」(les règles de droit constructives ou techniques) である。（一二）それは法適用の準則、手續、權限を定め、「法的規範の sanction を保障するための法の道 (voies de droit) を創設するものである。（一三）それは必ずしも成文法規たることを要しないが、結局において、「强制の組織的法則」(la règle organique de la contrainte) であり、一定の團體のなかに强制の獨占が成立することを必要とするから、國家の存立を必要とする。(一四) そして、今日の實定法規のほとんどすべては、政治的組織をもふくめた技術的法の規定からなり、現實には、統治者またはその代理人に宛てられている。(一五) このようにして、デュギーにとって、「技術的法」は「强制の組織的法則」として、國家の存立と關係し、統治者およびその代理人を名宛人とするが、それはエールリッヒの「國家的法」と呼ぶものに該當するであろう。他面において、今日の實定法規の大部分がこのような技術的法の規定からなっているというとき、かってビンヂンクの指摘したことが思いだされる。ビンヂンクは「規範」と「刑罰法規」を區別したが、成文法規における兩者の關係について、三つの典型があることを指摘している。(一六) 第一は現今の法規のようにその前提する規範を規定の背後にかくして表面にかかげない。第二は逆に、例えばモーゼの十誡のように、直接に規範をかかげて、何の刑罰法規をもかかげない。第三は、古代ローマの法規のように、規範とともに刑罰法規をもあわせかかげる。デュギーにとってもビンヂンクにとっても、現今の實定法規は「刑罰法規」(ビンヂンク) または「技術的法の規定」(デュギー) からなり、「規範」(ビンヂンク) または「規範的法」(デュギー) を背後に前提しながら、表面にかかげない。そして、デュギーにとってもビンヂンクにとっても、「技術的法」または「刑罰法規」は「規範的法」のため、または「規範」のために手段として設けられ、したがって、第二次的意味のものである。そのデュギーの「技術的法」がエールリッヒの「國家的法」に、その「規範的法」が「國家外的法」に、あたかも該當することを、注意しなければならないと考える。

（一）Léon Duguit, Traité de Droit Constitutionnel, 2e éd. Tome I, 1921, p. 29—33.
（二）op. cit. p. 33.
（三）op. cit. p. 36.
（四）op. cit. p. 36.
（五）op. cit. p. 41.
（六）op. cit. p. 43.
（七）op. cit. p. 46.
（八）op. cit. p. 47.
（九）op. cit. p. 49.
（一〇）op. cit. p. 50 et suiv.
（一一）op. cit. p. 56.
（一二）op. cit. p. 38.
（一三）op. cit. p. 38.
（一四）op. cit. p. 39.
（一五）op. cit. p. 41.
（一六）Binding, Die Normen und ihre Uebertretung, I. Bd. S. 136—148.

五　デュギーにおける規範的法の生成

社會規範から法規範への轉化について、デュギーの說くところを、も少したどってみよう。

デュギーによれば、「他人を害するな」という法則は、社會に生活するすべてのひとに課せられている法的規範であって、單に道徳規範にとどまるものではないが、しかし、それが法的規範であるのは、自然法というような優越的原理にもとづくからではなく、また、統治者によってそのように定められたからでもなく、社會的團體のなかに生活するひとびとの意識のなかに、ゆきわたっているからである。「他人を害するな」という法則は、ひとびとがこの法則が社會生活の根本條件であることを知り、この法則を保障するために社會力による恆常的手段を必要とすることを理解したときに、法規範になったのである。したがって、それは實定刑罰法規のなかに規定される以前に、すでに法の法則であったのである。(一) 民事立法についても同様のことがみとめられる。法典に規定されたものは、「個人大衆の意識の狀態」において、すでに法規範であるところの法則を保障するために、必要な技術的法則を制定したものである。ここでデュギーがナポレオン法典を例にあげて説いていることを、とくに注意したい。「ナポレオン法典を例にとれば、家族法を別として、そこに三つの法的規範が見いだされるであろう。契約の自由と財産の尊重と過失賠償責任とである。これ以外のすべての規定は技術的または構成的法の法則である(二)」と彼はいっている。われわれは、デュギーがここでナポレオン法典において見いだされる三つの法規範としてあげたものが、一般に近代私法の三大原則と呼ばれるものであり、すでに一七八九年の人權宣言のなかにかかげられていたこと、そしてナポレオン法典が近代法典の先驅的なものの一つであったことを、思いあわせる。契約は自由であるべきこと、私有財産は不可侵の權利として尊重されるべきこと、過失なくして責任を負わされるべきでないこと、これらは近代市民社會的秩序の根本要求であり、近代市民精神の根本信條であったのである。それが近代市民法秩序の根本原則とされたわけであるが、デュギーにとっては、それが、とりもなおさず、規範的法にほかならない。なるほど、近代市民社會における「個人大衆の意識の狀態」において、これらの三原則は市民社會の秩序の根本條件であり、それが確保されるのでなければ社會の結條が破られるであろうことの意識、すなわち、デュギーのいわゆる「社會性のサンチマン」と、それを犯す者に制裁を科することが正當であるとの意識、すなわち、デュギーのいわゆる「正義のサンチマン」が、なりたっていたであろう。したがって、デュギーの見地からすれば、これらがすでに規範的法として成立していたのであり、これを現實的に保障するためにナポレオン法典の詳細な規定が定められたのである。

そこで疑問になるのは、このような法則がいつ規範的法になったのであるか、ということである。もちろん、それは法典の公布・施行の場合とちがって、一定の時日を指して答えられることではなく、かなりに漠然としたことである。デュギーもそのことをいっている。「一定の法則に對して、それが實定的に定められる前に、社會的サンクシオンの意識が、いつ大衆の精神のなかに現われるかを決定することは、不可能だというのは誤っている。ことは困難ではあるが不可能ではない。このモマンを決定すべく試みるのが法學者の正當な使命である。……このような意識はたしかにはなはだ不明確であり、大多數者においては多かれ少かれ混亂した直觀にもとづいている。いつでも、それは指導者と呼ばれうるようなひとびとにおいて比較的明瞭に現われる。どこの社會にも、世論の指導者と呼ばれうる者があるが、同時に、最も有力に大衆の世論を代表する者として現われるひとびとのすべてが、必ずしもつねにその大衆のサンチマンの忠實な通辯者ではないことを、注意しなければならない」と。(三)デュギーは、なお、無過失賠償責任について示唆にとんだ説明をあたえている。過失責任の法規範はナポレオン法典の一三八二條に示されているが、一般的法意識は長い間これ以上にすすまなかった。「のち、科學的諸發明と産業の躍進によって生じた經濟的變化のもとに、また、資本集中のいちじるしい現象の影響のもとに、ひとびとは、責任に關する傳統的規範がもはや不充分であること、それが擴げられねばならぬこと、個人または社團によって過失なしに生ぜしめられた損害、または、損害の原因たる事由の歸屬する個人または社團によって過失なしに生ぜしめられた損害についても、賠償が義務づけられねばならぬことを、感ずるにいたった」。このようにして、過失責任の舊來の法規範とならんで、新たな法規範が生じた。これを生ぜしめたものは、法學ではない。法學はこれを認識して理論的基礎をあたえただけである。また、過失責任に關する法典の規定の存在は、危險責任の法規範の生成を何ら妨げなかった。のちに、立法が特別の場合における危險責任について規定を設けたが、危險責任は立法によってはじめて法になったのではなく、立法の關與以前にすでに規範的法であったのである。(四)

わたくしはデュギーの所説に教えられるところ大なるものを感ずる。一定の法規範がいつから法規範の性格をもつにいたったかは、一定の時日を示して答えうることではない。法が不斷の生成過程であり、しかも、社會意識または社會的規範意識を場とする生成過程であるから、そのことはやむをえないことであるであろう。とともに、法は社會的規範意識を場とする生成過程であるがゆえに、エールリッヒのいわゆる「國家外的法」が、法の眞姿であると思われる。エールリッヒのいわゆる「國家的法」といえども、國家が「社會の機關」にほかならない限り、國家を媒介とするにしても終極においては、「社會に發する」ものといわなければならず、したがって、「國家的法」と「國家外的法」との區別は、さして重要なものではないであろう。ただ、「社會の機關」としての國家そのものの組織、その活動の機關、手續、準則などを定めるものとして、「國家的法」はデュギーのいわゆる「技術的法」であり、そのようなものとして「國家外的法」との區別が意義をもつ、と考えられる。

　ところで、「法外的規範」から「法的規範」への轉化が、ひとびとの社會心理的領域において、したがって、社會意識の狀態において、行われることであるとしても、それは何らかの社會的實在に現象化しなければならず、この社會的現象を通じてのみ認識されうることであるから、社會學的には、一定の「法外的規範」が社會の組織的强制機構によって保障されるにいたったとき、いいかえれば、その社會規範の違反に對して强制機構が發動して組織的制裁を科することがノルマルな手續として豫期されるにいたったときに、法的規範への轉化が見いだされる、といわなければならないであろう。そして、これが法の社會學的概念ともなるわけである。したがって、デュギーの説明は、「强制機構によって保障される規範」を法と見るウェーバーの概念的に捉えた事實關係を、社會心理的側面から説いたものにほかならない、ということができる。ただ、ウェーバーにおいては「强制機構」は國家的であることを必要としないのに對して、デュギーにおいては、規範的法の實現を保障するための

「技術的法の法則」は、結局において、「強制の組織的法則」にほかならないがゆえに、國家の存立を前提するとされるのであり、したがって、デュギーにおいては、規範的法もその強制保障の面において國家と關係をもつことになるわけである。一定の社會的團體の固有の強制機構によって保障される規範といえども、その社會的團體を包括するより上級の社會の強制機構によって否定されるシャンスが豫期されうる限りにおいては、それをもって法とみとめることができないであろうから、法をその強制保障の面において、直接または間接に、國家的強制機構にかかるものと見なければならない、と考える。

(一) Duguit, op. cit. p. 39.
(二) op. cit. p. 40.
(三) op. cit. p. 47.
(四) op. cit. p. 94—95.

六 むすび

わたくしは、法を、直接にせよ間接にせよ終極的には、國家的強制機構によって保障される社會的規範意識である、と考えている。

その際に、國家を「社會の機關」と見るエールリッヒの考え方が尊重されねばならぬであろう。いいかえれば、國家を社會から抽離して獨自的な存在と見ることを戒しめなければならぬと考える。他面において、「社會の機關」としての國家の發達過程を考察するに際して、近代國家の構造を基準とし、近代國家を根柢とする國家概念をもって、あらゆる歴史的段階にのぞむことを、つつしまなければならないこともちろんであるが、一定の社會規範は、それを保障する强制機構の國家的性格がうすらぐに比例して、その社會規範の法的性格もまたうすらいでいくことを、いなみえないであろう。その强制機構に國家的性格を全くみとめえないとき、それによって保障される社會規範に、なお、法的性格をみとめようとするのは、わたくしには法概念の不當な擴張と思われる。したがって、マックス・ウェーバーのいうような「政治的權力以外の權力によって保障される規範」という意味における「國家外的法」に對しては、法的性格を否定しなければならない。ただし、マックス・ウェーバーがその説明のためにあげる個々の事例について、それが法とみとめられるかどうかは、個別的な檢討に委ねなければならない。他方において、國家の機關が一定の法典を制定しても、法はこれによって創造されるのではなく、社會意識を場として生成するものであるから、「國家から發する法」というエールリッヒの「國家的法」は、嚴密には、その源を國家から發するという意味ではなく、法の生成の過程において國家または國家の機關を通路とし、または、これを媒介として生成する法、ということでなければならないと考える。

最後に、法は歴史的社會を場として不斷の生成過程にあるが、この生成過程には社會的規範意識の對立・相剋、したがって、社會的規範意識相互間における「法をめぐる鬪爭」を避けえないことを、注意しなければならない。

デュギーはナポレオン法典の財産編について、そこに見いだされる規範的法として、契約の自由と私有財産の尊重と過失責任の原則とをあげたが、それはまさに近代的市民社會における市民的法である。この近代市民社會的規範意識が國家的强制機構の保障を獲得するにいたるまでには、アンシャン・レジームにもとづき、それを支持する社會的規範意識との間に、はげしい對立・相剋を經驗し、それが血の革命をも現出せしめたのである。これによって近代市民社會的規範意識はアンシャン・レジームの規範意識を排除して、新たな國家の强制機構による保障を獲得し、近代的法として生成するにいたったわけである。革命を經なかった國々においても、近代市民法の成立には、多かれ少かれ、アンシャン・レジームの規範意識と近代市民的規範意識との間における對立・相剋を經驗したのであって、社會的規範意識相互間における「法をめぐる闘爭」を媒介として成立したもの、といわなければならない。このような對立・相剋・闘爭は、社會の歴史的轉換期には、とくに顯著に現象するであろう。しかし、歴史的轉換期におけるように顯著ではなくても、歴史の過程、ことに法の生成過程には、多かれ少かれ、つねに規範意識相互間の對立・相剋をまぬがれえず、「法をめぐる闘爭」をまぬがれえないと考える。

もちろん、歴史の過程の比較的に平穩な段階においては、社會的規範意識に、とくに目だつほどの對立・相剋が見られないこともあるであろう。そのような段階においては、法の生成もまた平穩に、且つ、緩慢にしかすすまず、あるいは、ほとんど停滯の狀態にあるわけである。

また、「閉ざされた社會」としての部落において、多かれ少かれ部落としての自給自足生活を餘儀なくされている條件のもとでは、部落成員相互の緊密な相互的協力關係が要求されるわけであり、部落の閉鎖性が强ければ强いほど、したがってまた、部落の自給自足の必要性が强ければ强いほど、部落成員の規範意識は「村の平和」を第一義とすることになるであろうとともに、部落生活の變化と進歩が緩慢であればあるほど、部落の規範の內容は「しきたり」や傳統によって制約され、新たな內容の規範意識を部落にもちこもうとする者は、「豫言者鄕里に容れられず」の譬にあるように、部落の傳統的規範意識からの强い抵抗をうけ、排斥されることになるであろう。そのような場合に、部落の傳統的規範が部落成員をどのように强く拘束しているにしても、そのことだけから、それを部落の法と見ることはできないであろう。社會生活の秩序形成のために機能するのは法だけでないことはもちろんであるのみならず、特定の社會において最も强い拘束力を現實にもつ規範がすべて、そのゆえに、法であるわけでもない。しかし、そのような「法外的規範」も、法の生成に對して、あるいは推進的に、あるいは障碍的に、作用しているのであるから、法社會學の立場からそれを視野の外に度外視してよいわけのものではなく、むしろ、それを充分に明かにすることが必要であると考えられる。

第五章　法の歴史的生成

一　基本的人權と公共の福祉の問題

日本國憲法が實施されてのち、法學界において最も廣くひとびとの關心をひきつけたものの一つは、「基本的人權と公共の福祉」の問題であったと思われる。公共の福祉との關係において、とくに問題にされたのは、基本的人權のなかでも、我妻教授のいわゆる「生存權的基本權」であり、そのなかでも、とくに「勞働基本權」であり、とりわけ爭議權の現實的行使に關してであった。ところで、われわれは、これらの問題を通じて、勞働法および勞働基本權が從來の法秩序に對して、ある異質的なもの、少くとも、ある異質的なものへの要素を、投げこんだこと、これを契機として從來の法秩序の指導原理を新たなものへ轉換させるか、あるいは、この異質的な要素を從來の法秩序のなかにとりこんで同質化するか、この問題の解決のために、今や「公共の福祉」という概念が重要な役割を演じようとしていることを感ずる。

一方において、基本的人権が、憲法の規定にとくに明示的にかかげられている場合のほかは、原則的に公共の福祉によって制約されることなく、そのものとして絶對的に保障されなければならない、と説かれ、他方において、一般に基本的人權はすべて公共の福祉によって制約され、これに反しない限りにおいて保障される、と説かれる。一方は基本的人權が「公共の福祉」という名目の濫用のもとに不當に制約され、無力化されることを恐れ、他方は基本的人權の濫用によって公共の福祉が阻害されることを恐れる。その場合に、問題の焦點におかれるのは、生存權的基本權であり、ことに、勞働基本權である。それは、これらの基本權がフランス革命以來の從來の憲法典には見いだされず、二十世紀の憲法典においてはじめて保障されるにいたったものであって、從來の法秩序にとって、多かれ少かれ、異質的なものであるからである。

ところで、抽象的に「公共の福祉と基本的人權」の問題として見る限り、公共の福祉が基本的人權を制約し、したがって、基本的人權が公共の福祉に反すべきではないということに、異論をさしはさむ餘地がないように思われるが、他方においては、基本的人權を抑壓して公共の福祉の實現はありえず、基本的人權の保障を無視して「公共の福祉」を語るべきではない、ということもできる。

したがって、抽象的一般論としては、公共の福祉と基本的人權との間に背反がなく、公共の福祉に反する限りにおいては基本的人權の逸脱であり、基本的人權の實現を抑壓する限りにおいては「公共の福祉」は空虚な題目にすぎない、ということができるであろう。公共の福祉と無關係に、あるいは、それに反しても、基本的人權はやはり基本的人權である、と主張することは、自然法的・原子論的・個人絶對觀にもとづく主張であるであろう。自然權または天賦人權は、それ自體として神聖不可侵の絶對權であるとされた。それがフランス革命をみちびいたのであり、その「人權宣言」のなかで、私有財産の不可侵性や契約の自由、などの、いわゆる「自由權的基本權」が、このような絶對權として宣言され、それが近代の市民法秩序の指導原理をなしてきたのである。しかるに、そののちの發展において、これらの權利が、現實に社會的に、いいかえれば、公共の福祉によって、制約されてきたのであり、自然法的絶對性を漸次にうしなってきたのである。「權利の社會性」または「公共性」ということは、二十世紀にはいってからの合言葉であり、すでに、常識化したことですらなかったか。今日、基本的人權について再び自然法的絶對性を主張すること、あるいは、基本的人權のなかに相對的なものと絶對的なものとの區別を主張することは、これまでの歴史的經驗の教えるところを、全く無視するものであるであろう。

問題は、基本的人權が公共の福祉によって制約されるかどうかではなく、むしろ、何が公共の福祉であるかであり、「公共の福祉」の題目のもとに權力の濫用がないかどうか、である。最低限生存の權利を無視して公共の福祉を語ることが許されるか。勤勞の意思と能力ある者をして勤勞の機會を得せしめないこと、しかも、憲法が勤勞をもって權利であるとともに義務であるとしているときに、その勤勞の義務を履行する意思と能力ある者から、その義務履行の機會をうばって、なお、公共の福祉を語ることができるか。社會の大多數者たる勤勞者の生存をおびやかして、なお且つ、公共の福祉を語ることができるか。その生存のために闘う道をふさぎながら、なお且つ、公共の福祉を語ることが許されるか。なお且つこれを語るとすれば、それはそもそも誰のための「公共の福祉」であるか、その「公共の福祉」の主體は何か。問題は、むしろ、その點にこそある。

曾てフランス革命の主張し獲得した自由・平等は第三階級のものであった。それは私有財産の不可侵性と契約自由の原則によって現實的に確保さるべきものであり、これが近代市民法の基本原則をなしてきたのである。しかるに、原子論的個人絶對觀にもとづく限り、自由と平等とは相互に相容れない理念であり、このゆえに、フランス革命のひとびとはのちに「博愛」をも加えてかかげなければならなかったが、しかも、これをもって現實に増大してゆく兩理念の背反を糊塗することができなかった。原子論的個人の自由は、不可侵なる私有財産と神聖なる契約自由の制度によって守られながら、現實的には、他人の自由を奪うことの自由であり、これを奪われた者にとっては「餓死への自由」でもあった。アダム・スミスはこれを「見えざる手にみちびかれる自然的自由の制度」(System of natural liberty led by an invisible hand) と呼んだが、それは絶對的個人をのみ見て、社會を見ず、社會的には「見えざる手」に委された盲目的な制度であり、この制度のもとに「餓死への自由」は「餓死への社會的强制」であった。「自然的自由の制度」のもとに「見えざる手」にみちびかれながら、一方において、他人の自由を奪うことの自由によってますます自由なる者と、他方において、自由を奪われて餓死にまで强制される者との、社會的不平等が増大したのであり、自由の理念と平等の理念とが、ますます背反していったのである。

「餓死への自由」は自由の否定ではあるが、自由ではない。けだし、生存が自由實現の根本前提であり、したがって、「餓死からの自由」が最小限の自由であるからである。生存権は最小限の自由であり、この最小限の自由を社會にあるすべてのひとに平等に保障することが、二十世紀の憲法に示された社會的自覺であったのであり、これによって、自由と平等の兩理念の背反が再びとり除かれようとしたのである。それは「個人的自由から社會的自由へ」といわれ、また「自由の社會化」とも呼ばれてきたことであるが、畢竟、自由の理念の進化である。

曾て、自由權的基本權が絕對的自然權として主張されたときにも、公共の福祉と全く沒交涉であったのではない。アダム・スミスにとって「自然的自由の制度」は、「國民の富」への道であるがゆえに正義であり、各人に「自然的自由」を保障することが、公共の福祉を實現する道であった。天賦人權として絕對的に見られた自由權的基本權といえども、公共の福祉と相關的であったのであり、それがドイツにおいては、ライプニッツやヴォルフにおけるように、福祉國家論にまで發展して、啓蒙的絕對主義國家の理論ともなったのである。

フランス革命の自由・平等は、結局、第三階級の自由・平等であり、市民的自由・平等であった。そして、フランス革命の立役者であるシエアースにとって、第三階級とは國民のすべてであり、第三階級よりほかに國民がなかったように、フランス革命のひとびとは、實際に、第一・第二の特權階級の排除されたのちにおいて、第三階級が國民のすべてであると信じたのであり、このゆえに、革命によって、すべての者の自由・平等が實現されたと、信じて熱狂したのである。しかし、革命によって實現された第三階級の自由・平等によって社會的に不自由と不平等を强制された第四階級にとっては、新たな自由・平等のために、新たな闘いを闘わなければならなかった。アダム・スミスの「國民の富」は明かに市民的富であり、その「自然的自由」は財産所有の安全と營業の自由を根幹とする市民的自由であった。

フランス革命のもたらした市民的自由權のコロラリーたるものは、市民的「公共の福祉」であり、そこで「公共」とは富裕な市民層にほかならない。そこでは「自然の饗宴」(nature's feast)(マルサス)に席をあたえられない者の死活は、問題にならない。しかし、「自然の饗宴」は、そこに珍味佳肴を供給する者なくして、それ自體として永久不變に盛大たりうるものではなく、市民的自由の絕對性は、かえって、市民的福祉の破壞を促すものでもあった。このゆえに、市民的自由が社會的に制約されてきたのであるとともに、「公共の福祉」の概念內容が現實的に修正されてきたのであり、二十世紀の憲法典がついに生存權的基本權をも保障するにいたったゆえんである。生存權的基本權の保障は「自然の饗宴」を社會におけるすべての者に解放することを目指すのであり、これなくして眞に「公共の福祉」のありえないことの自覺にもとづくものである。したがって、生存權的基本權の保障とともに「公共の福祉」の概念內容が轉換すべきである。それは、市民の福祉から大衆の福祉へ、轉換しなければならない。社會における大衆の福祉を度外視して「公共の福祉」を稱することは空虛である。曾て、フランス革命において第三階級が「國民」の名において人權を宣言し、憲法を制定したが、今日、第四階級たる勤勞大衆を無視して「公共の福祉」を僭稱することは許されない。基本的人權は公共の福祉によって制約される。しかし、勤勞者大衆の福祉を離れて公共の福祉はない。したがって、

「公共の福祉」の名によって、勤勞者のための生存權的基本權の保障を空文化すべきではなく、逆に、その保障を充實し現實化することによって、眞に公共の福祉を實現すべきである。

二　法と歴史

さて、このように見てくると、基本的人權と公共の福祉の問題は、法と歴史の問題、または、歴史の構造における法の位置の問題への關心を、切實に示唆しているといわなければならない。けだし、公共の福祉ということは憲法典の規定にかかげられている概念であるとしても、單なるそれの解釋論によってではなく、歴史的現實との關連においてのみ把捉されうることであるからである。また、基本的人權といっても、單に憲法典の規定の上からだけでは、その抽象的概念は把捉できても、現實にそれがどのように機能し、どのように制約されるか、という現實態を把捉することができないであろうからである。

法と歴史の問題は、自然法を否定して、法はすべて實定法であるとするとき、しかも、實定法の概念を單に成文法規の意味に限定しないで、ひろく現實の法と解するときに、際だってくる。基本的人權にしても公共の福祉にしても、このような見地からでなければ眞にその現實態を把捉することができないであろう。法はすべて實定法であり、實定法とは現實の法であることであり、したがって、歴史法であることである。このことは、自然法に對する反動として歴史法をとなえたザヴィニー、プフタの歴史法學派のひとびとによって敎えられることであり、また、法と文化規範との關係に着眼し、

「文化力としての法」(Das Recht als Kulturmacht)を説いたエム・エー・マイヤーや、技術的法との區別において規範的法を說き、これを「客觀的法」とも呼んだデュギーや、紙の上の法との區別において「生きた法」(lebendes Recht)をとなえた法社會學者エールリッヒや、ことに「法であることは、法への道に(auf dem Wege zum Recht)あることである」と說き、「生きた法」は「闘う法」(kämpfendes Recht)でもあるというシェーンフェルト、などによって深く教えられることである。

これに反して、法はすべて實定法であるとしながら、實定法を成文法規と同一視する傾向をとったケルゼンらの純粹法學派のひとびとは、法を歷史からひきはなして純粹に見ようとし、そのゆえに、强く自然法を排斥しながら、みずから自然法に墮しているといわれる。しかし、自然法學者たちは法を人間本性にもとづくものとし、そのゆえに歷史を越えて永久不變のものとして、理性の演繹によってアプリオリに見いだされるべきものと主張したが、實際において、彼らの多くはローマ法史またはゲルマン法史のすぐれた研究者であり、ことに、プフェンドルフやトマジウスのように、すぐれた歷史研究者であったことを、注意しなければならない。そして、超歷史的にアプリオリに見いだされたはずの自然法が、いちじるしく歷史的に制約されたものであったことは、今日ではすでに學界の一般的常識であるであろう。

ところで、法と歷史の問題に關する限り、ザヴィニー、プフタの歷史法學派の所說を無視することはできないが、今日新たにされた問題への關心にとって、歷史法學派の所說で充分でないことも明かである。その充分でない根本の理由は、彼らに一定の史觀を缺くことである。彼らにとって、法は民族の歴史的生活の現實のうちにおのずからに生成するものであり、法は民族生活そのものの一部面にほかならなかった。したがって、法は歴史的に生成するものであるとともに、歴史をはなれて把捉されうるものではなく、また、歴史を無視してアプリオリに作りだされうるものでもなかった。しかし、彼らには法の生成の基盤である歴史の進展を合法則的に把捉しようとする志向が缺けていた。なるほど、彼らは、歴史を無視して法をアプリオリに作りだそうとする自然法學的立法に對して、それを恣意的として非難した。彼らにとって、歴史的傳統を無視した立法は恣意的であった。自然法學的潮流にもとづいて行われた近代初めの諸立法も、實際において、歴史の制約から脱したものではなかったが、歴史法學のひとびとにとっては、それは歴史の傳統を無視したことにおいて非歴史的であり、非歴史的であるがゆえに恣意的であった。畢竟、彼らにとって歴史の進展は有機的生長であり、そのゆえに、傳統が歴史進展の原動力として尊重されるが、その原動力としての傳統の分析を怠っているのは、一定の史觀を缺いているからである、と考えられる。强いていえば、自然史的史觀と呼びうるのではあるまいか。この自然史的史觀と呼びうる傾向は、のちに歴史法學派から轉向したイェリングにおいても見いだされるであろう。

イェリングは「目的がすべての法の創造者である」と說き、法の生成を、いわば、目的進化論の立場から把捉しようとした。彼にとって、無生物界に因果の法則が支配するように、生物界には目的の法則が支配する。そして、目的は、あたかも最も單純な細胞から複雜な細胞が進化してきたように、最も單純なものから複雜なものへ進化してゆき、自然に飛躍がないように、目的の進化にも飛躍がないと説き、法の創造者である目的も、進化の連環をたどって、生物學的生存本能に由來するものと説く。したがって、彼にとって、法および歴史は目的の法則によって支配されるが、その目的の法則の根幹をなすものは生存本能であり、このゆえに、法は彼によって「權力の政策」として、または「規律されたエゴイスムス」として把えられるのである。實際に、彼はローマ法の精神をたずねて、「規律されたエゴイスムス」を見いだし、これをもって彼自身の法本質觀ともなした。彼にとって、ローマ法の精神はローマ法の生成を促した原動力であり、このようなローマ法の精神を明かにするために、廣く深くローマ民族の歴史を探究した。同樣にして彼は「法における目的」の探究に際しても、その第二卷において廣く社會的習俗の研究にむかった。結局において、イェリングにとって、すべての法の創造者たる「目的」、また、法の生成の原動力である「精神」は、何らか理念的なもの、または、形而上學的なものではなく、むしろ、民族の生存本能の發展を制約する社會的・歴史的諸條件の全體であった。民族の生存本能が社會的・歴史的諸條件に制約されながら、諸々の規範意識を形成するのであり、「權力の政策」として權力によって保障された規範意識が、法を形成するのである。イェリングが歴史法學派からでて、法の生成における社會的・歴史的諸條件の役割に着眼しながら、しかも、これを目的として捉え、歴史における目的活動の役割をも無視せず、「法をめぐる闘爭」をも説いたことは、大きい功績であると考えられるが、その自然史的史觀の傾向は批判に値いすると思われる。

社會的・歴史的諸條件の全體において法の精神を見いだそうとしたひととして、さかのぼって、モンテスキューを無視することはできない。のみならず、モンテスキューは歴史の地理的解釋、または、地理的史觀をのべたひととして知られているが、彼においても、氣候・風土などの地理的條件が歴史に對して決定的な作用をなすのは原始の未開社會においてであり、人間の環境支配力の增進によって歴史に對する地理的條件の決定力が失われてゆくことを承認するから、彼の所説を地理的史觀と呼びうるかどうか疑問である。この點では、むしろ、ラッツェルなどの見解が地理的史觀と呼ぶに一層適わしいであろう。ラッツェルは氣候・風土・河川・海岸線、などの諸々の地理的條件がどのように民族の歴史に對して制約的作用をなしているかを、もっぱら研究した。ただ、モンテスキューが、法を普遍的理性と事物の本性との必然的關係であるとし、法の精神を地理的・歴史的諸條件の全體にもとづいて見いだそうとしたことを、注意しなければならない。法の精神の探究は、歴史全體の探究である。歴史の全體的探究を度外視して、法の精神を見いだしえないことを、モンテスキューもイェリングも教えていると思われる。公共の福祉との關係において、基本的人權が具體的にどのようにあるべきかは、基本的人權保障の根本精神を度外視して把捉されえないであろうとともに、歴史の全體的探究を度外視して法の精神を具體的に把捉することができないのである。そのことを、われわれはモンテスキューやイェリングによって教えられるであろう。

その教示にしたがうとき、われわれはヘーゲルとマルクスの歴史觀を顧みないわけにゆかない。モンテスキューやイェリングの「精神」と呼んだところのものは、明かにヘーゲルの「精神」とは異っている。ヘーゲルにとって精神は普遍的理性として、自己展開をなしながら、現實にまで具體化してゆくものであった。歴史は精神の具體化であるが、この具體化の過程において、法は客觀的精神として主觀的精神と絕對的精神とを媒介する位置におかれる。その出立點と終極點において、精神は神格的であり、歴史の進展は神の攝理の顯證過程というのとひとしくなる。ヘーゲルにおける精神の自己展開は、イェリングにおいて目的の進化である。それは地上的であり、肉體的ですらあり、諸々の地上的條件によって制約されている。歴史において精神は神格化されることを必要としない。精神はそれ自身の概念辯證法によって自己展開するのではなく、地上的條件に制約されながら展開することによって歴史をなす、といわなければならない。

歴史において精神は精神そのものとして純粹に自己展開するのではなく、歴史的諸條件に制約されながら、歴史的形相をもって展開する。その諸條件と制約の仕方については、マルクス・エンゲルスに學ばなければならないであろう。人間の生存が歴史の根本前提である以上、生存維持のための自然との交渉關係が歴史の根柢であり、したがって、生產關係が歴史の下部構造として、あらゆる上部構造を規定するとするのには、深く教えられるものがある。しかし、もちろん、生產關係が精神を生みいだすのではなく、下部構造が上部構造を建てあげるのではないであろう。上部構造がどのような形態に建てあげられるかは下部構造によって制約され、精神がどのような內容をもって發動するかは、生產關係によって制約されるであろうが、しかし、諸々の物化現象が見られるにしても、生產關係のうちにも精神がその一要因として含まれていなければならない。そうでなければ、生產關係はありえないであろう。欲望充足のための自然との交渉が、動物の場合と異って、人間において技術を生みいだしたのであり、生産關係と呼ばれるものも、技術を要因として成立することであるとともに、人間の歴史は技術の發明とともにはじまったともいわれるのである。そして、精神の働きの關與することなくして、技術はありえないであろう。

生産關係が下部構造として歴史の進展を決定的に制約することは是認されるであろう。しかし、下部構造も、人間精神の發動を拔きにして成立しうるものではない。言葉をもち技術をもつ人間にして、はじめて歴史をもつのである限り、歴史の法則は歴史の理性として把捉されるべきではあるまいか。意識が人間の生活を規定するのではなく、彼らの社會的生活が人間の意識を規定するのでもあろう。しかも、意識を拔きにして人間の生活はありえず、規定されながらも規範意識が法を形成する。人間生活における物的諸條件の投影が規範意識の具體的內容を形成するでもあろう。しかも、この投影を規範意識にまで轉化するのは、人間における理性の働きでなければならない。物的諸條件に制約されながら、しかも、歴史は理性實現の過程であり、そのゆえに、紆餘曲折を經ながらも、合理性の展開過程であり、そのゆえに、合理的に、法則的に把捉されうるのではあるまいか。

法は規範意識であり、規範意識として歴史の上部構造に屬し、その下部構造によって具體的に制約されるものとして把捉されなければならない。しかし、下部構造が直接に規範意識を形成せず、規範意識の形成には理性の媒介がある。理性そのものは無內容であるとしても、規範形成の力であり、法の規範性は理性にもとづき、このようなものとして、法もまた歴史の進展に參與するものと考えられる。

三　むすび——歴史における法の生成と法をめぐる闘争

「公共の福祉と基本的人權」は最もはげしく論議された問題の一つであるとともに、また、今後のわれわれにとって、最も切實な問題でもある。それは單純な法律解釋論の問題ではなく、社會的な・政治的な問題でもあり、そこには今日におけるイデオロギー相互の錯綜と社會的力關係の對立的摩擦が反映されていることを感ずる。自由權的基本權を生みいだした十九世紀のイデオロギーは、生存權的基本權を生みいだすにいたった社會的力關係のもとにおいて、決定的に修正されなければならなかったわけであるが、しかも、イデオロギーとしてなお存續し、その制約のもとに生存權的基本權を把捉しようとするのに對して、生存權的基本權の現實化を求める社會的力およびイデオロギーが、はげしく抗爭していることが、そこに示されている。それは、いわば、自由權的イデオロギーと生存權的イデオロギーとの相剋であり、また、イェリングの言葉をかりていえば、「法をめぐる闘爭」の一つの展開様相である、ということもできる。法を生成の過程において見たシェーンフェルトは、「生きた法」は「闘う法」でもあるといったが、法はまさにこのような闘爭を通じて、不斷に生成の過程にあると考えられる。とともに、法はすべて歴史法であり、歴史の埒外において生成するものではなく、歴史の構造のなかに位置しながら生成するものであること、いうまでもないであろう。イェリングのいったように、歴史の進展が、したがって、法の生成もまた、しばしば、「力の平行四邊形の對角線」の方向をたどるとしても、その力の平行四邊形そのものが歴史のなかで形成される力關係であり、それらの力の擔い手は何か、何がそれらの力を形成するかは、歴史の構造の分析なくしては理解されえないことであるであろう。

法は歴史のなかで不斷に生成の過程にあり、この生成の過程を歴史的力關係が制約しているとすれば、歴史の構造の理解なくして、法の充全な把捉はありえないと考えられる。そして、われわれは現に「法をめぐる闘爭」のはげしく展開されたのを見たが、それはなお結着にまでいたっていない。「公共の福祉と基本的人權」の問題は、イデオロギー相互の問題であるとともに、社會的力關係の問題でもあり、そのゆえに、單に法解釋論的問題であるだけではなく、社會的・政治的・經濟的問題でもあり、すぐれて歴史的な問題である、といわなければならない。

第六章　法をめぐる闘爭と法の生成

一　立法における法をめぐる闘爭

破壊活動防止法は第十三通常國會に提案されて以來、多くの反對や攻撃があったにもかかわらず、まず衆議院で僅少の修正を加えて可決（昭和二七年五月一五日）、參議院では法務委員會で否決されたが、本會議で更に若干の修正を加えた上で可決（七月三日）、これに衆議院が同意して（七月四日）、ついに成立し、昭和二七年七月二一日に公布・施行されることになった。(一) 國民の反對を押しきって法律が成立してゆくのを見るとき、ひとは、曾てルッソーのいった言葉を想い起さないわけにゆかないであろう。曾てルッソーは、その「社會契約論」のなかで、こういっている。「人民自身によって承認されない法律はすべて無效であり、法律ではない。イギリスの人民は自由であると考えているが、それは誤っている。彼らは單に議會を選擧する間だけ自由であるが、選擧してしまうやいなや、議會の奴隷である」と。法律は國會における多數決で成立するが、多數黨の意見が、すべての案件について、つねに國民の多數者の意見を代表するとは限らない。國民の意思を無視する限り、代議制の假面のもとに、多數黨の獨裁を現出することになる。ルッソーの言葉が今日のわが國にそのままあてはまるような印象をいだかしめられるのは、わが國の代議制の未熟の故であると思われる。

破壞活動防止法をめぐって、はげしい闘爭があったが、それは相異った社會的規範意識相互間の對立・相剋であり、「法をめぐる闘爭」の一樣相である。法案そのものは一つの社會的規範意識にもとづいて作成され、これを法規として成立せしめることによって、その規範意識に國家權力の保障をえ、國家權力の保障のもとにこれを國民一般に强行しようとするものである。したがって、「立法をめぐる闘爭」は、多かれ少かれ結局において、社會的規範意識相互間における「權力をめぐる闘爭」である。破壞活動防止法の成立を要求する社會的規範意識は、これを法として成立せしめることによって國家權力の保障を獲得し、その保障のもとに、この規範意識の强行的實現を求めているわけである。

このようにして「立法をめぐる闘爭」は、その一面において「權力をめぐる闘爭」であるが、他面においては「法の理念をめぐる闘爭」または「正當性をめぐる闘爭」である。一定の法案を成立せしめようとする者も、それを阻止しようとする者も、その必要・不必要を斷定する根據または理由は、「秩序のため」とか、「自由のため」とか、「正義のため」ということである。

破壞活動防止法案の場合には、明かに「秩序のため」ということが、前面にでていた。その成立を主張したひとびとは、その所期する秩序を維持されるべきもの、または、實現されるべきものと考える立場に立ち、その秩序の維持または實現が、一定の社會的行爲によって妨げられ、または、脅かされるという認識にもとづいて、破壞活動防止法成立の必要を主張したわけである。そのひとびとの立場から、破壞活動防止法はまさに「秩序のために」必要であり、その秩序の實現または維持を妨げる行爲は「破壞活動」となり、それを爲す者は「不逞の輩」ということになる。

しかし、問題なのは、どのような秩序が、維持されるべきもの、または、實現されるべきものとして想定されているか、ということである。一定の秩序を維持されるべきもの、または、實現されるべきものと想定する立場から、一定の法案の成立が必要とされても、實現されるべき秩序の想定が異れば、また、その秩序實現のためにとるべき手段についての考え方が異れば、そのような法案の成立を必要とは認めないであろう。

社會生活には秩序は必要であるが、しかし、社會的規範意識を底礎するものは、一定の秩序に對する考え方、つまり、秩序觀であり、それは、イデオロギーに屬することである。そのゆえに、「秩序のため」の一定の法案の必要・不必要をめぐっても、イデオロギー相互の間に、對立・相剋・鬪爭が生ぜざるをえない。

破壞活動防止法案に反對したひとびとの最もおそれたことは、これによって憲法の保障する自由・人權が不當に侵されることになることであるとともに、自由・人權の抑壓によってのみ維持されうる秩序を、正當な秩序と考えないからである。自由と秩序はコロラリーをなしており、秩序はつねに自由の社會的分配にもとづいている、ということができるであろう。最盛期のギリシアのアテネ都市國家には、六万人の自由人と三十六万人の奴隷があったといわれる。つまり、そこでは四十二万人の人間が一つの國家秩序をなして生活し、しかも、ブッチャーの賞讃する民主國家を形成していた（ブッチャー、和辻哲郎譯「ギリシア天才の諸相」）。しかし、その秩序のもとでは、自由および民主國家は、六万人の自由人のものではあったが、三十六万人の奴隷にとっては、無緣のものであったわけである。いな、その六万人の自由人のなかですら、アテネの民主政と自由を眞にわが有として享受したのは、その少數の者にすぎなかった。

フランス革命において、アンシャン・レジームは第一・第二の特權階級にとって、死をもって守らるべき秩序であった。自由・平等を旗印としてアンシャン・レジームを破壞した第三階級は、市民的自由の秩序を建設しようとしたのである。

破壞活動防止法案に反對したひとびとは、それによって自由が脅かされることをおそれるが、他方において、その成立を主張するひとびとにとって、それによって何ら自由を脅かされることの危惧が、いだかれないであろう。そのひとびとにとっては、むしろ、勞働組合の充實・强化によって、彼らの自由が制限される、と考えるであろう。「秩序のため」の新たな法案は、多かれ少かれ、自由の社會的再分配の企圖という意義をもっている、ということができる。

しかも、破壞活動防止法の成立をのぞんだひとびとも、それによって實現し、または、維持しようとする秩序を、正しからざる秩序とは考えず、むしろ、それこそが實現され維持されるべき正しい秩序であると考え、それを脅かす者を「不逞の輩」と見るわけである。何が正しいか、何が正しくないかの判斷も、イデオロギーの具體的作用であり、對立・相剋をまぬがれえない。「秩序のため」の一定の法案をめぐっても、一方において、その成立をのぞむひとびとは、それが「正しい秩序のため」であり、それによって「正しい自由」が少しも脅かされない、と考えるであろうのに對して、他方において、それに反對するひとびとは、それが「正しい秩序のため」に無益であるのみならず、有害であると考え、それによって「正しい自由」が不當に抑壓されることをおそれるであろう。「立法をめぐる鬪爭」は「法の理念をめぐる鬪爭」でもある。自己の主張を正當化する終極の根據は理念であり、主張相互の間の對立・相剋は、正當性の主張の對立・相剋として、結局は、「理念をめぐる鬪爭」または「正當性をめぐる鬪爭」であるであろう。

このようにして「立法をめぐる鬪爭」は、一面において「權力をめぐる鬪爭」であるとともに、他面において「正當性をめぐる鬪爭」である。「立法をめぐる鬪爭」は、その「權力をめぐる鬪爭」の面において、國會における可決または否決によって、一應の結着を見る。一應の「結着」というのはそれによって國家權力の保障を獲得するかどうかが決定されるからであり、しかも、「一應」の結着というのは、それにもかかわらず法の生成は停止しないし、それによって「法をめぐる鬪爭」が完全に終了することにはならないからである。

（一） 破壞活動防止法については、別册法律時報「破壞活動防止法―逐條解説と總批判」昭和二七年八月、日本評論社發行參照。

二　裁判における法をめぐる闘爭

一定の法案が國會の可決によって法律として成立しても、「法の生成」および「法をめぐる闘爭」は終了しない。「法をめぐる闘爭」は、裁判所や行政廳その他における法の實際の適用や運用においても、展開されるであろう。

裁判は、具體的な事案に對して宣告されるべき法が何であるかを見いだして、これを宣告することによって行われる。判決は、具體的事案に對する具體的法の宣告にほかならない。そして、一定の具體的事案に對して宣告されるべき法を見いだすために、一方において事實の認定が行われるとともに、他方において「法の解釋」が行われる。そして「法の解釋」には、反對解釋と類推解釋、擴張解釋と縮小解釋、というように、そのいずれによるかにしたがって、相異った法を、ときとしては相反する法をすら、見いだすことになる種々な解釋方法のあることを、注意しなければならない。

ところで、合議裁判について見れば、判決は審理にあたった裁判官の合議によって決定される。ということは、これらの裁判官の合議によって、當該の具體的事案に對して宣告されるべき法が何であるかが、決定されることである。その合議において、何を法として宣告すべきかの決定が、全員一致で決定されることもあるが、そうとは限らない。合議に參加する裁判官の各自が、それぞれに意見を異にした場合には、結局、多數意見にしたがって決定される。それは、具體的事案に對して宣告されるべき法をめぐっての、異った意見の對立・相剋であり、「法をめぐる闘爭」の一様相であるが、ことでも、それが多数決で一應結着することになる。

　多數意見と少數意見との分立は、合議裁判において生ずることであるが、「法をめぐる闘争」は、單獨判事の場合にも無關係なわけではない。單獨判事が審理をすすめながら、宣告すべき判決について、彼の胸中何らの惑いもなく、直覺的に充分の確信をえるとは限らない。事案が複雑であればあるほど、なかなかに確信がつきかねるであろう。そのような場合に、判例や學説はもちろん、世論すらも、彼の胸中に何らの波動をもあたえないとはいえない。つまり、かれ單獨判事の胸裡において、どのような考え方がかれの確信を掌握するにいたるか、いろいろな考え方が、單獨判事の胸裡を場として、その確信をめぐって對立し相剋するわけである。それは、單獨判事の胸裡を場として展開する「法をめぐる闘争」の一様相にほかならない。

　單獨判事の胸裡に展開するこのような「法をめぐる闘争」は、合議に參加する各判事の胸裡においても展開するであろう。それを通じて各判事は、それぞれに自己の確信をもって合議にのぞむのであり、そこで述べられた意見が異るがゆえに、多數決で決定されることになるのである。

　このような裁判において展開する「法をめぐる闘争」においても、「法をめぐる闘争」は一面において「權力をめぐる闘争」であるとともに、他面において「正當性をめぐる闘争」である。

　同一の法典の規定によりながら、具體的に法として見いだされたものが異るのは、解釋が異るからであるが、「法の解釋」はつねに「正當性」の理念によってみちびかれなければならない。「正當性」の理念によってみちびかれながら、しかも、解釋が異り、具體的に法として見いだされるものが異るのであり、その異った見解の間に「法をめぐる闘爭」が展開されるとすれば、それは同時に、「正當性をめぐる闘爭」でもあるであろう。

「法をめぐる闘爭」は、裁判における場合にも、一面において「正當性をめぐる闘爭」であるとともに、他面において「權力をめぐる闘爭」でもある。多數意見は裁判長の口を通じて判決として宣告されるのであり、單獨判事の確信となった意見は、かれの口を通じて判決として言渡されるのである。それは正當な權限をもつ國家の機關の行爲であり、國家權力の他の機關が發動してこれを執行することになる。したがって、裁判における「法をめぐる闘爭」も、どのような意見が國家權力の保障を獲得するかをめぐっての闘爭であり、「權力をめぐっての闘爭」である。

このような裁判における「法をめぐる闘爭」は、合議における多數意見、または、單獨判事の確信にもとづく判決の宣告によって、一應結着する。しかし、それも法の生成の過程からみれば、一應の結着でしかない。

なるほど、判決を言渡された當事者にとっては、それが確定すれば絶對であって、それによって、あるいはその財産に強制執行をうけ、あるいは死刑によって生命を斷たれることにもなる。しかし、法の生成の全過程からみれば、それも一應の結着でしかなく、「法をめぐる闘爭」がそれによって終極的に終了するのではない。法典の規定が不變である間、判決も不變であるとは限らない。合議裁判についていえば、前に少數意見であったものが、のちに多數意見になることもあるであろう。同一の單獨判事であっても、のちにその確信が變らないとは限らない。

アメリカにおいて、ホームズ、カルドーゾー、ブランダイスは、つねに少数意見をとなえた判事であったが、それにもかかわらず、アメリカにおける法の發達において、無視することのできない貢獻をなしたひとびととして、有名である。

多數決制度のもとでは、多數意見が少數意見に勝つのであり、そのことによって「鬪爭」が結着するが、長い歴史の過程からみれば、その結着は一應の、または、一時的な結着でしかなく、少數意見が負けたとは限らない。「法をめぐる鬪爭」は、一面において「正當性をめぐる鬪爭」であるが、「正當性をめぐる鬪爭」は多數決によって終極的に結着しうることではないからである。「何が正しいか」ということは、「何が眞であるか」ということと同樣に、多數決で決定しうることではない。地動說をとなえたため宗教裁判にかけられ、その彈壓に屈してその說を撤回したガリレオ・ガリレイが、法廷を去り際に、「されど大地は動く」(Epur si muove !)といったと、傳えられている。宗教裁判ではなく人民投票にかけたとしても、當時の一般人の知識水準からみて、壓倒的多數をもって天動說が勝ったであろう。しかし「されど大地は動く」のである。天動說と地動說のいずれが眞であるかは、權力によってうごかしうることではなく、多數決によって決定しうることではない。「法をめぐる鬪爭」は一應の結着を經ながら、しかも、つねに未解決のものを殘し、"Epur si muove !" を殘すのであり、それが新たな「法をめぐる鬪爭」をうながし、それを媒介として、法は不斷に生成していくものと考えられる。

法の生成および「法をめぐる鬪爭」には、學說も大いに役割をもつであろう。學說においても「法をめぐる闘爭」が展開されるわけである。ただ、學說において展開される「法をめぐる闘爭」は、直接には「正當性をめぐる闘爭」の側面であって、「權力をめぐる闘爭」の側面ではない。學說が立法や裁判に何らかのインフルエンスをあたえることによって、間接に「權力をめぐる闘爭」と關係をもつとしても、學說の本領は「正當性」を目ざすことであり、したがって、學說における「法をめぐる闘爭」は「正當性をめぐる闘爭」の側面にすぎない。しかし、この側面が「法をめぐる闘爭」の核心であり、法の生成の原動力をなすものと、いうべきであるであろう。

三　社會關係における法をめぐる闘爭

「法をめぐる闘爭」は、立法や裁判のような國家機關の活動においてだけでなく、現實の社會關係においても、展開されている。現今の私法自治の原則のもとでは、また、その支配する範圍內では、經營者相互間または私人相互間の自由な契約が、相互の權利・義務關係を具體的に決定するであろうが、權利・義務關係は法關係であり、法の保障のもとにある關係である。權利は、その貫徹のために國家權力の發動による保護を要請しうる能性であり、義務は、國家權力の發動によってその責任を强制される拘束された地位である。その權利・義務の關係がどのような內容をもって具體的に設定されるかは、當事者の合意に委されているが、設定された權利・義務の關係は法關係であり、法の保障のもとに入る。法の保障する私法自治の範圍內において、法關係が具體的にどのように決定されていくかは、現實的な經濟關係によって制約された當事者の力關係に依存している。それは私法自治の保障される範圍内において當事者間に展開される「法をめぐる闘爭」である、ということができる。「法をめぐる闘爭」は、勞使間に行われる勞働爭議において、一層はっきり見られるであろう。爭議は實力關係による解決の手段であり、爭議によって勞使相互間の法關係が現實的に決定されていくのであるから、それは勞使間における「具體的法關係をめぐっての闘爭」にほかならない。

しかも、その際に「爭議行爲の正當性」の範圍・限界が、實際的にも學説上においても、論議の對象となっている。そして、その範圍・限界がどのように決定されるかは、爭議における實力關係に、したがって、爭議を通じての解決に、重大な意義をもつのであるが、それは、憲法の保障する勤勞者の基本權が現實にどのように具體化していくか、という問題にとって、はなはだ重要なことである。そして、問題をこのように一般化すれば、事は單に勤勞者の基本權だけにとどまらないであろう。憲法の保障する基本的人權のすべてについて、憲法の明文上の保障にもかかわらず、それらが現實にどのように具體化しているか、ということが重要なのである。

實定法とは單に成文法規のことではなく、現實の法のことであるとすれば、基本的人權保障の現實態が、實定法を明かにしようとする立場から重要なのであり、單に憲法の條規の解釋だけにとどまることはできないであろう。憲法の條規の解釋をめぐっても對立・相剋があるが、人權保障がどのように現實化していくかは、一般世人の「不斷の努力」によらなければならないことでもある。そして、國民一般のこの「不斷の努力」の過程には、對立・相剋をもまぬがれないであろう。集會・結社の自由、言論・發表の自由、學問・思想の自由、生存權、勤勞權、そのほか憲法の保障している基本的人權の一つ一つが、實際にどのように現實化するかは、權力擔當者の努力と配慮にまつとともに、また、國民一般の「不斷の努力」にまたなければならないことでもある。そして、國民一般の「不斷の努力」の過程における對立・相剋は、國民相互間に生ずることであるとともに、またしばしば、國民と權力擔當者との間に生ずることでもあるであろう。基本的人權の主體として國民は、憲法第十二條に明記されているように、「不斷の努力」によってこれを保持すべき責任を負うのであり、そのゆえに、權力の前に卑屈であることは許されない。權力の不當な行使に對して抗議することを躊躇すべきではなく、それによって、權力の行使を正しからしめることに努め、それによって、基本的人權が正しく保持され、現實化することにならなければならない。つまり、基本的人權をめぐっても不斷に努力と鬪爭をまぬがれず、鬪爭を通じて基本的人權が現實に生成していくのである。憲法典に明示的に保障された「紙上の人權」を現實化するために、「現實の人權」または「生きた人權」をめぐる鬪爭が、さけられない。そして、このような「現實の人權」をめぐる鬪爭もまた、「法をめぐる鬪爭」の一様相である。

四　法をめぐる鬪爭の二つの側面

「法をめぐる鬪爭」も鬪爭である限り、現實の社會的力關係によって結着するが、力關係とはいっても、「法をめぐる鬪爭」に參加する力である限りは、「正當性」と全く無關係な力ではありえないであろう。

「法をめぐる闘争」は、法として一般的に強制的に行われるべき権威的規範をめぐる闘争であり、何をもってこのような権威的規範たらしめるかをめぐっての闘争、または、一定の規範意識を法として強制することをめぐっての闘争、である。そのゆえに「法をめぐる闘争」を媒介として、特定の規範意識が一般的に強制される力を獲得するかどうかが、決定されていく。したがって、「法をめぐる闘争」は、少くとも一面において、「力をめぐる闘争」である。

國會における多數決は、一定の法案を法規として成立せしめ、法規として成立せしめることによって、國の諸機關の準則となり、そのことによって、國の權力の保障を獲得することになる。したがって、立法をめぐる闘争は、國家權力の保障をめぐる闘争であり、「力をめぐる闘争」の一様相である。合議裁判の合議における多數決にしても、同様にして「力をめぐる闘争」たるの意味をもっている。その多數決によって「何を判決として宣告すべきか」が決定されるが、判決として宣告されたものが、國家權力の保障のもとに強制されるのである。單獨判事の胸裡において、展開される「判決の確信をめぐる闘争」も、同様に「力をめぐる闘争」である。

しかし、單に「力をめぐる闘争」のゆえに「法をめぐる闘争」であるのではなく、「力をめぐる闘争」のすべてが、同時に「法をめぐる闘争」であるのではない。「法をめぐる闘争」は、他面において「正當性をめぐる闘争」でなければならない。「力をめぐる闘争」は、そのゆえに「法をめぐる闘争」であるのではなく、同時に「正當性をめぐる闘争」であるがゆえに「法をめぐる闘争」である。いいかえれば、「正當性をめぐる闘争」によって裏づけられた「力をめぐる闘争」が、はじめて「法をめぐる闘爭」であり、これを媒介として、力が「法の力」として發動することになるのである。

何をもって正當とし、何をもって不當とするかについての意見の分立や對立は、イデオロギーの相異にもとづくことであるが、「法をめぐる闘爭」はその諸樣相を通じて、イデオロギー相互間、または、それにもとづく社會的規範意識相互間に展開される闘爭である。法は正義または正當性を指導理念とする規範であり、人の行動を裁く規範であるが、裁くことは正すことであるといわれるように、法は正す規範であり、正す規範として、それ自身正しかるべき規範であるから、その生成は「正當性をめぐる闘爭」を媒介としなければならない。したがって、立法においてにせよ、裁判においてにせよ、「法をめぐる闘爭」が「正當性をめぐる闘爭」と全く無關係に、問答無用式に、單純に力によって結着する限りは、もはや「法をめぐる闘爭」ではなく、そこから生成するものは、もはや法ではなく、單純な力の命令、または、力の支配にほかならないであろう。

もちろん、「正當性をめぐる闘爭」を媒介として現實化する正當性は、すべて絶對的ではなく、相對的であり、普遍的妥當性をではなく、相對的妥當性をしかもたない。絶對的正當性が何に屬するかは、歴史の完了においてはじめて知られることであり、歴史の過程において現實化するものは、つねに、相對的であり、したがって、惡法と見られるもののなかにも、なお相對的に何ほどかの善をふくんでおり、それをすらふくまないとすれば、もはや惡法ですらもない、といわなければならないであろう。歴史の過程において現實化する正當性は、つねに相對的であり、相對的正當性は、相對的不正當性でもある。しかも、その現實化において人間の營爲には不斷に闘爭が反復される。その際に、正當として主張され、不當として排斥されるが、それは、正當なものが現實化されるべきであり、不當なものは現實化されるべきでないという、根本要請にもとづくことであるであろう。この根本要請がなければ、それらの主張や排斥や闘爭が、本質的に、何の意義をももたないであろうからである。

五　法をめぐる闘爭と法の生成

法は現實のなかで、しかも、現實のために機能しながら、現實とともに、つねに生成の過程にある。そのようなものとして、法は規範的機能の現實的過程である、といってもよい。またあるいは、シェーンフェルトのいったように、「法であることは、法への道にあることである」といってもよいであろう。法はその「法への道」において、不斷に「法をめぐる闘爭」を媒介とするのである。「法への道」は、立法や裁判や學説や世論を通じて、いな終極的には一般世人の社會的規範意識を通じて、生成し進展するのであり、法の生成は、それらを場とする「法をめぐる闘爭」を媒介として展開することである。法の生成も歴史的現實のなかで展開することであり、歴史の一端であるから、歴史の諸條件の制約をまぬがれえないこともちろんであるが、歴史そのものが人間の營爲を抜きにしてありえないように、法の生成も人間の營爲を媒介とすることなしにありえない。のみならず、現實のなかで、しかも、現實のために、規範的機能をはたらく法の生成にとっては、人間の營爲の媒介が不可缺であることは、ことに顯著であるといわなければならない。そのゆえに、法の生成には「法をめぐる闘爭」が、不可避的である。

法は「法をめぐる闘爭」を通じて、現實的力關係と歴史の諸條件に制約されながら、「法への道」をゆくが、「法への道」は、結局において、「正義への道」にほかならない。かってシュタムラーは、すべて實定法は「正的者への試み」(Versuch zum Richtigen) である、といった。（一）もちろん、この「正的者への試み」には失敗もあり、それが法理念を斷片的にしか現實化していないこともあろう。しかし、誤りある法といえども、「正的者への試み」である限りは、法である、とシュタムラーはいう。しかし、とミッタイスがこれを更につぎのように補足している。「實定法が正的者への試みを全く試みようとしないとき、それが意識的に法理念へ志向しないとき……それは一般に何ら法ではない。誤りある、そして、論難に値いする法ですらもなく、恣意の支配のためのマスクにすぎないにもかかわらず、それ自體のために、效力要求を僭奪した僞法 (Scheinrecht) であり、非法 (Nichtrecht) である」（二）と。同じ趣旨をかってギュルヴィッチもいっている。「法の概念は本質的に正義の理念と關連している。法はつねに正義を實現するための試みである。この試みは、その具體的形態において、環境や時の種々な條件によって制約され、比較的に成功したり、成功しなかったりする。法は、そのまとう現實の形態において、比較的に完全であったり不完全であったりする。法は、多かれ少かれ、墮落していることもあり、反對に、その機能に特別によく適合していることもある。しかし、もはや正義を實現するための努力として考えられえない限り、それはもはや全く法ではない。」（三）と。

もちろん、歴史の歩みがそうであるように、「法への道」は直線路ではなく、そこには邪路も迷路もあり、紆餘・曲折もある。「法をめぐる闘爭」をくりかえしながら、「法への道」において、歴史のなかに「正義への志向」をみちびきいれることが、歴史における法の役割であると考える。

不正なものが排除され、正しいものが實現されるべきだ、ということは、歴史そのものの根本要請ではないであろうか。この根本要請がなければ、一般に「法をめぐる闘爭」はそのすべての様相において、そもそも何の意義をもつであろうか。不正なものは排除されなければならず、正しいものが實現されなければならないからこそ、そして、それが歴史そのものの根本要請であればこそ、「法をめぐる闘爭」は、不斷に法の生成を媒介しながら、歴史のなかで意義をもつことができるのだ、と考える。

なるほど、現實に展開される闘爭の多くは、小さな目さきの打算をめぐる利益闘爭であったり、弱肉強食の露骨な力のための權力闘爭であったりする。「勝てば官軍」といい、「マイト、イズ、ライト」というが、歴史のなかには、このような言葉をうなずかなければならないような現象が、たしかに、しばしば、いな、あまりにしばしば、ある。しかし、人間のもつ理性と批判の力は、歴史そのものの自己批判のすすむ通路である。人間の理性を通じて、歴史そのものが自己批判をすすめ、深めるのであり、歴史の自己批判が「正當性をめぐる闘爭」として、歴史のなかに展開するのである。「マイト、イズ、ライト」を歴史の眞實たらしめるものは、無批判な理性の怠惰であり、歴史そのものを無理性たらしめることであるであろう。「マイト、イズ、ライト」ではなく、「ライト、イズ、マイト」が、歴史の根本要請でなければならない。

法は「現實のなかで、しかも、現實のために」機能しながら、「正的者への試み」として、不斷に生成の過程にあり、このようなものとして、まさに「法であることとは、法への道にあることである」とともに、この道において不断に「法をめぐる闘争」をくりかえしながら、歴史の根本要請に参与するものであると考える。

（一）　Rudolf Stammler, Die Lehre vom richtigen Recht, 1902, S. 31.
（二）　Heinrich Mitteis, Ueber das Naturrecht, 1948, S. 37.
（三）　Gurvitch, L'Idée du Droit Social, 1932, p. 96.

著者略歴

昭和二年　早大法學部獨法科卒
昭和十年―十三年　海外留學
現　在　早大法學部教授
日本學術會議會員

主要著書

法哲學(上)　日本評論社
法と人間　朝倉書店
近代自然法學の發展　有斐閣

昭和二十八年十月二十日　初版第一刷発行
昭和二十九年一月二十日　初版第二刷発行

法をめぐる闘争と法の生成

著者　和《わ》田《だ》小《こ》次《じ》郎《ろう》
東京都千代田區神田神保町二ノ十七
發行者　江草四郎
東京都千代田區西神田一ノ九番地
印刷者　岡崎正夫
東京都千代田區神田神保町二丁目十七番地
發行所　株式會社　有斐閣
電話九段(33)〇三二三・〇三四四
本郷支店　文京區東京大學正門前
京都支店　左京區北白川追分町一

Printed in Japan

印刷　太陽印刷工業株式會社
製本　稻村製本所

法をめぐる闘争と法の生成（オンデマンド版）

2013年2月15日　発行

著　者　　和田　小次郎
発行者　　江草　貞治
発行所　　株式会社 有斐閣
〒101-0051　東京都千代田区神田神保町2-17
TEL　03(3264)1314(編集)　03(3265)6811(営業)
URL　http://www.yuhikaku.co.jp/

印刷・製本　　株式会社 デジタルパブリッシングサービス
URL　http://www.d-pub.co.jp/

AG586

ISBN4-641-91112-6　　Printed in Japan